本書の使い方

1. 「はじめに」を読む

はじめに …P1～6

2. 巻末別冊の「トレーニングを始める前の前頭葉機能チェック」を行う

※ 別冊は巻末のカラーページです。本文の最終ページにのりづけされていますので、ていねいにはがしてお使いください。

3. 1日に1枚ずつ、表と裏の音読と書き取りを行う

※ 音読では、作品名と作者名も読みましょう。

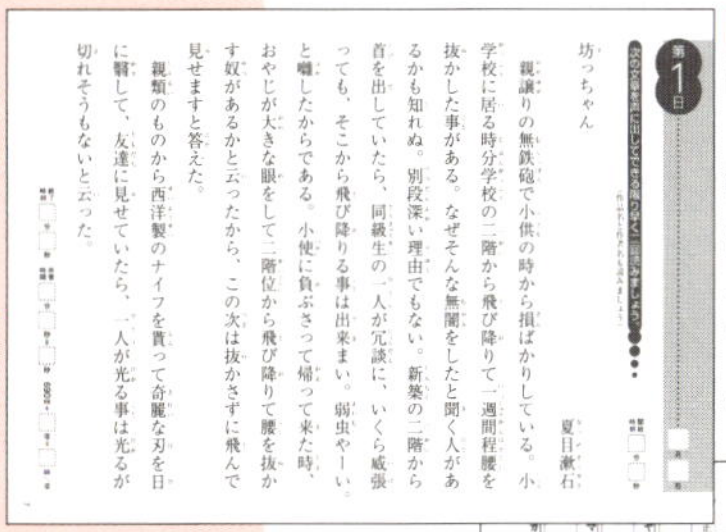

問題の特長

音読：近代文学の名作から選りすぐりの60編を選び、冒頭の名文を載せました。音読の速さの変化を確認できるように、音数を所要時間で割って速さが求められるようにしてあります。

第1日～第5日 …P7～16

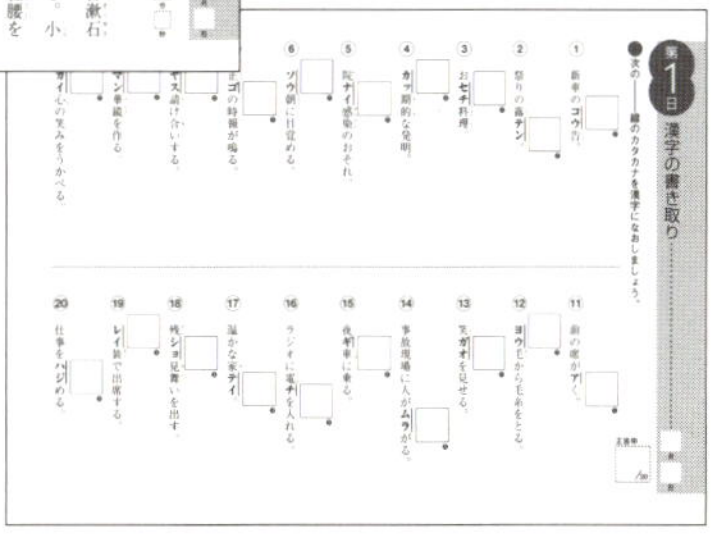

漢字書き取り：小学校で習う漢字から出題しています。解答欄の右下にある数字が学校で習う学年です。（2003年現在。一部の読みは小学校では習いません）

4. 「第1週目の前頭葉機能テストⅠ～Ⅲ」を行う

5. 巻末のグラフに記録を記入する

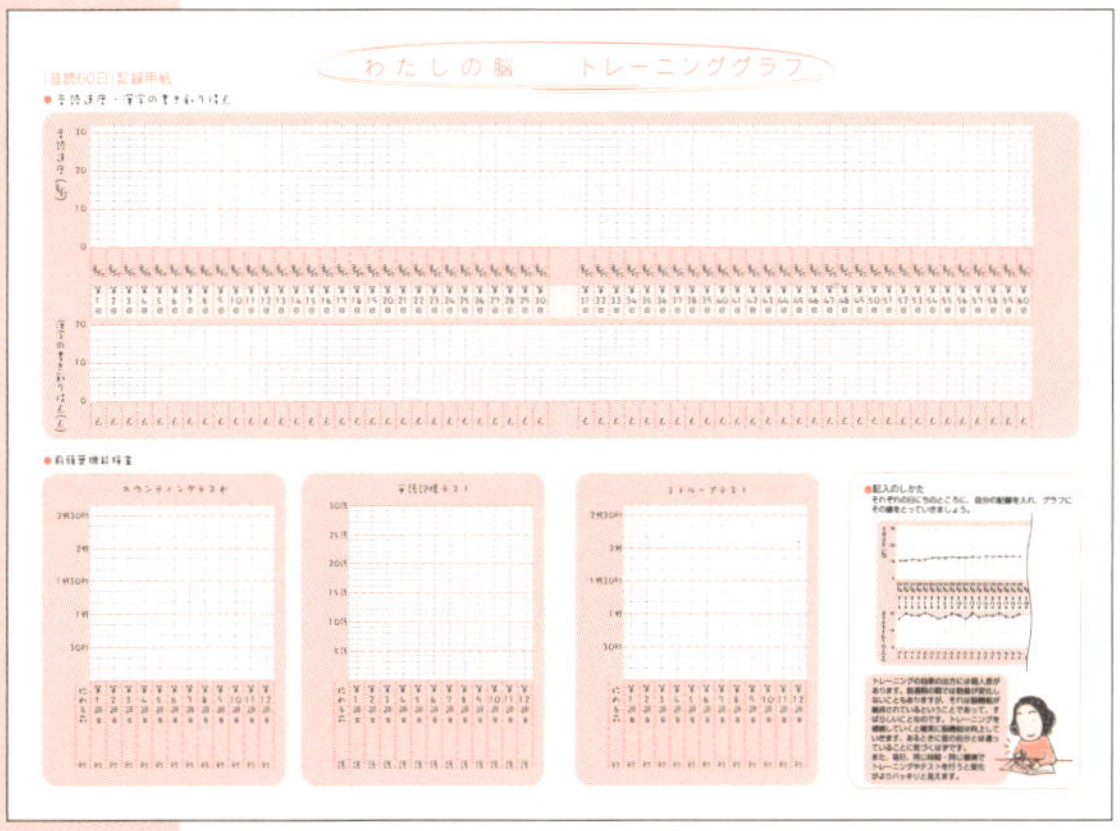

6. ③～⑤と同じことを繰り返す

はじめに

川島隆太
東北大学教授

何のための本？

このトレーニングブックは、皆さんの脳を若く健康に保ち、脳の働きを向上させることを目的に作りました。

脳の機能（働き）は、青年期（20代）を過ぎると加齢《かれい》とともに低下していきます。これは、体力や筋力が年々低下するのと同じことです。体力や筋力は毎日の運動習慣で低下を防ぐことができます。脳もこれらと一緒です。毎日、積極的に脳を使う習慣をつけることによって、脳の機能の低下を防ぐことができるのです。

誰のための本？

■次のような自覚がある大人の方

- 物忘れが多くなってきた
- 人の名前や漢字が思い出せないことが多くなってきた
- 言いたいことが、なかなか言葉に出せないことが多くなってきた

■次の人たちにもお薦めです

- 創造性を高めたい
- 記憶力を高めたい
- コミュニケーション能力を高めたい
- 自制心を高めたい
- ボケたくない

脳の健康法とは？

体の健康を保つためには、①運動をする習慣、②バランスのとれた食事、③十分な睡眠《すいみん》が必要です。同じように脳の健康を保つためにも、①脳を使う習慣、②バランスのとれた食事、③十分な睡眠が必要なのです。「バランスのとれた食事」と「十分な睡眠」は皆さんの責任で管理していってください。この本は、皆さんに「脳を使う習慣」をつけてもらうためのものです。

すらすら音読をすることが脳に効果的なのです！

この本を開いた方は気づかれたと思いますが、本書は、表面では近代名作の冒頭部分の音読、裏面では小学校で学習する漢字の書き取りを行うようになっています。日ごろから仕事をしたり、家事をしたりで、たくさん脳を使っているのに、いまさら音読や小学生レベルの漢字の書き取りをして一体何の意味があるのだ！と疑問に思われた方もいると思います。しかし、音読をすることによって、その他のどんなことよりも脳がたくさん働くことを私は発見しました。すらすらと音読できることが、脳のトレーニングには重要であることがわかったために、このような問題を準備しました。

最新の脳科学に基づいた脳に最適なトレーニング方法

「音読」や「計算」、「漢字の書き取り」が、私たちにとって脳をたくさん使う効果的なトレーニングであることは、私の最新の研究により明らかになりました。

図中の脳の画像は、いろいろな作業をしているときの脳の状態を脳機能《のうきのう》イメージング装置《そうち》（注1）で測定したものです。赤や黄色になっているところは、脳が働いている場所（脳の中で血液の流れが速いところ）で、赤から黄色になるにしたがってよりたくさん働いています。

たとえば、「本を黙読《もくどく》しているとき」と「本を音読しているとき」をくらべると、「黙読しているとき」は、ものを見る働きをする**視覚野**《しかくや》、漢字の知識がしまわれている**下側頭回**《かそくとうかい》、言葉の意味がしまわれている**角回**《かくかい》、そして、声を出していないのに耳で聞いたはなし言葉を理解するときに働く左脳《さのう》の**ウェルニッケ野**《や》が働いています。また、脳の中で最も程度の高い働きをする**前頭前野**《ぜんとうぜんや》が左右の脳で活発に働いています。「音読しているとき」を見ると、「黙読しているとき」と同じところが、より強く大きく働いています。音読することは、脳の多くの場所を活発に働かせ、前頭前野を鍛えることになります。

注1■脳機能イメージング装置

人間の脳の働きを脳や体に害を与えることなく画像化する装置。磁気をもちいた機能的ＭＲＩや近赤外光《きんせきがいこう》を用いた光《ひかり》トポグラフィーなどが使われている。

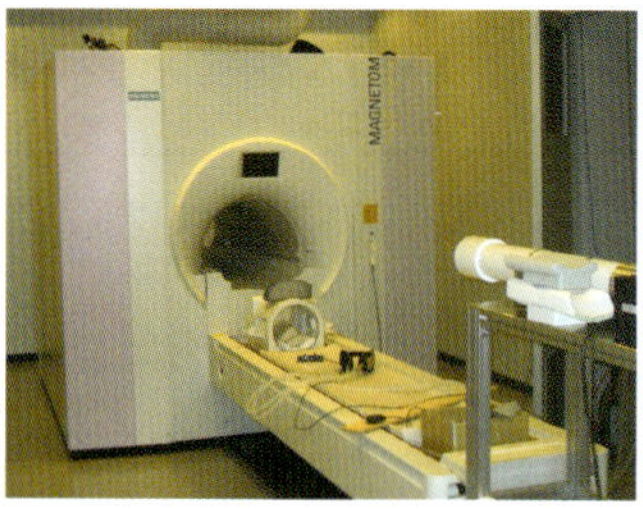

注2～5■

人間の左右の大脳《だいのう》は、前頭葉《ぜんとうよう》・頭頂《とうちょう》葉《よう》・側頭葉《そくとうよう》・後頭葉《こうとうよう》の４つの部分に分かれている。前頭葉は運動《うんどう》の脳、頭頂葉は触覚《しょっかく》の脳、側頭葉は聴覚《ちょうかく》の脳、後頭葉は視覚《しかく》の脳といったように、それぞれの部分は異なった機能を持っている。

前頭葉の大部分を占める前頭前野は、人間だけが特別に発達している部分であり、創造力、記憶力、コミュニケーション力、自制力などの源泉である。

■左から見た脳

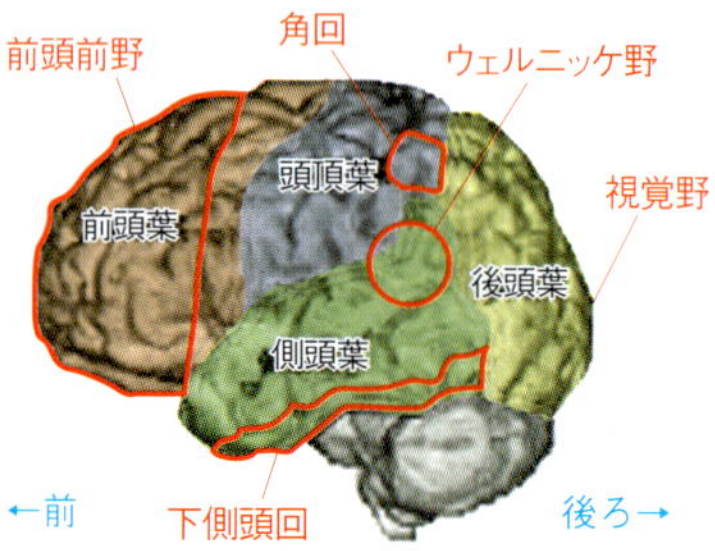

考えごとをしているときの脳

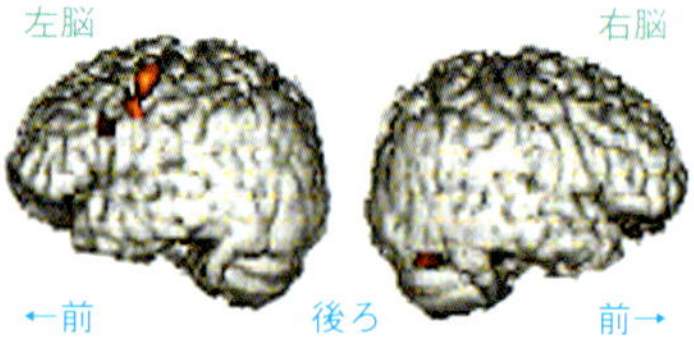

考えごとを一生懸命《いっしょうけんめい》しているときの脳の働きを示しています。左脳の前頭葉（注２）の前頭前野（注３）がわずかに働いています。

テレビを見ているときの脳

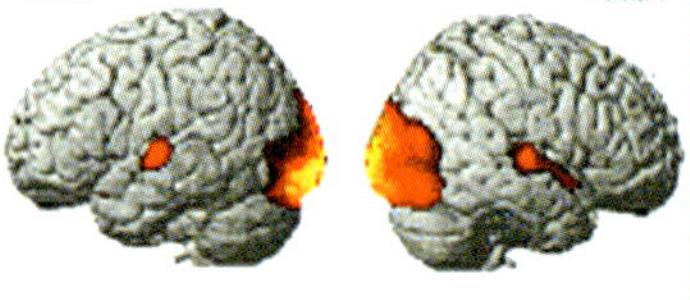

テレビを見ているときの脳の働きを示しています。物を見る後頭葉（注４）と音を聞く側頭葉（注５）だけが、左右の脳で働いています。

漢字を書いている
ときの脳

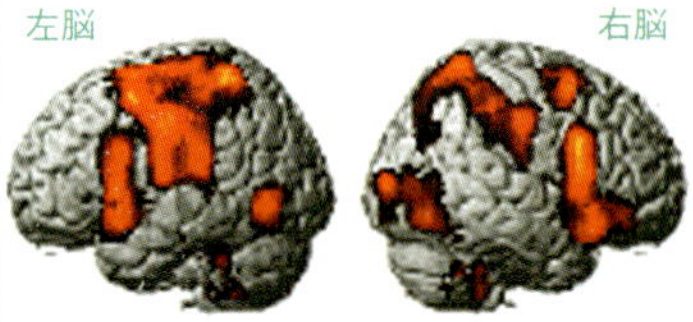

漢字を書いているときの脳の働きを示しています。左右の脳の前頭前野が活発に働いていることがわかります。

本を黙読している
ときの脳

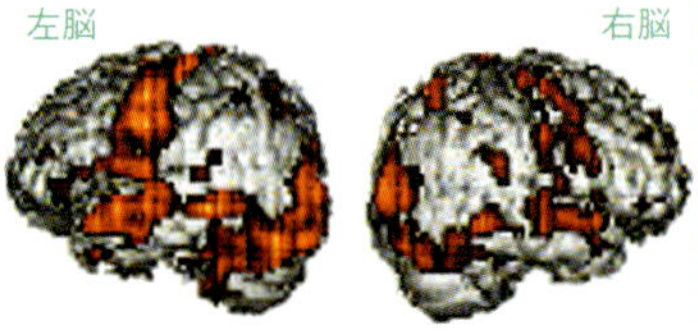

本を黙読しているときの脳の働きを示しています。前頭前野を含む左右の脳の多くの領域が働いています。

本を音読している
ときの脳

本を音読しているときの脳の働きを示しています。黙読時よりもさらに多くの場所が左右の脳で働いています。前頭前野は音読スピードが速ければ速いほどたくさん働くこともわかっています。

簡単な計算問題を
速く解いているときの脳

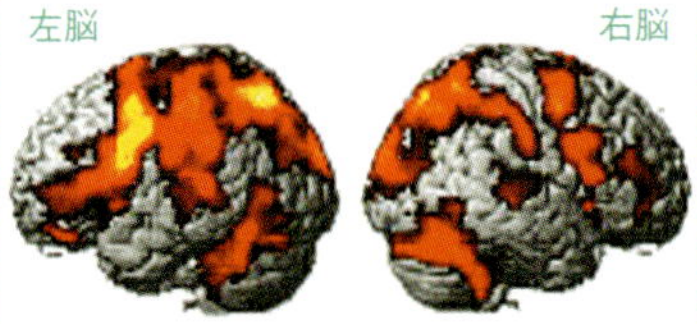

簡単な計算問題を、できるだけ速く解いているときの脳の働きを示しています。左右の脳の多くの場所が活発に働いていることがわかります。前頭前野も大いに働いています。

簡単な計算問題を
ゆっくり解いているときの脳

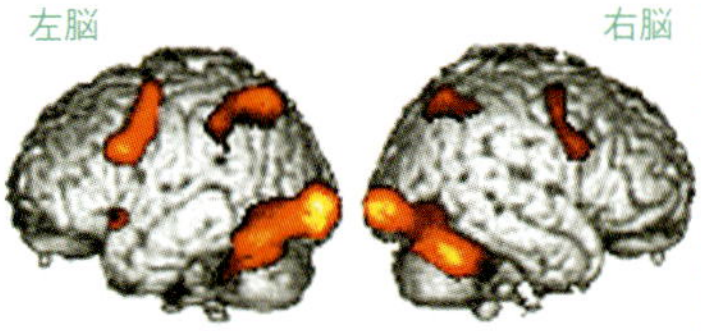

左と同じような簡単な計算問題を、ゆっくりと解いているときの脳の働きを示しています。計算問題を解くときは、できるだけ速く解く方が脳はたくさん働くことがわかります。

複雑な計算問題を
解いているときの脳

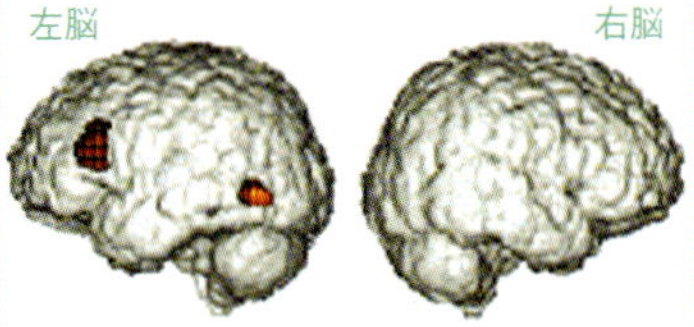

複雑な計算問題に取り組んでいるときの脳の働きを示しています。左脳の前頭前野と下側頭回が働いています。右脳は働いていません。

トレーニング後に記憶力が2割アップ

小学生を対象として、提示した言葉を2分間で何語覚えることができるかを測定してみました。小学生はふだんは平均8.3語を記憶することができます（成人では12.2語）。それが2分間の簡単な計算後には平均9.8語、2分間の音読後には平均10.1語記憶できるようになりました。音読や計算後に記憶力が2割以上アップしたのです。

事前に行った音読や計算により脳全体がウォーミングアップされ、ふだん以上の力を出せるようになったのです。（右1のグラフ）

音読や計算で認知症《にんちしょう》の症状が改善

12名のアルツハイマー型認知症《にんちしょう》患者に、音読と書きを行う国語学習を1日10分、計算問題を行う算数学習を1日10分、週に2〜5日行ってもらいました。学習を行わなかった人たち（対照群）は、認知機能《にんちきのう》（MMSという検査で評価する、物事を理解したり、判断したりする能力）・前頭葉機能《ぜんとうようきのう》（FABという検査で評価する、言葉を作り出したり、行動を抑制したり、指示にしたがって行動したりする能力）共に半年の間に低下しましたが、学習を行った人たち（学習群）は認知機能低下の防止、前頭葉機能の改善に成功しました。アルツハイマー型認知症患者の脳機能の改善に成功したのは、世界でもあまり報告がありません。（右2・3のグラフ）

1単語記憶の変化

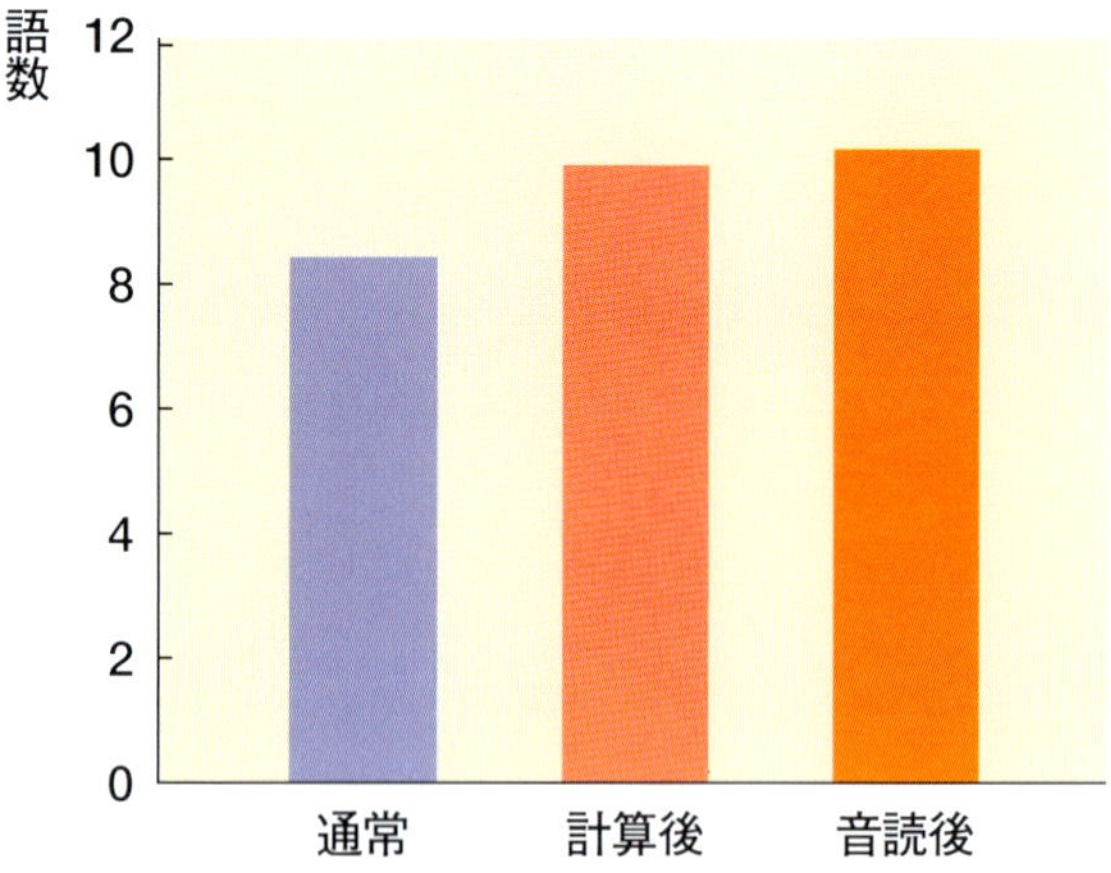

2認知機能の変化

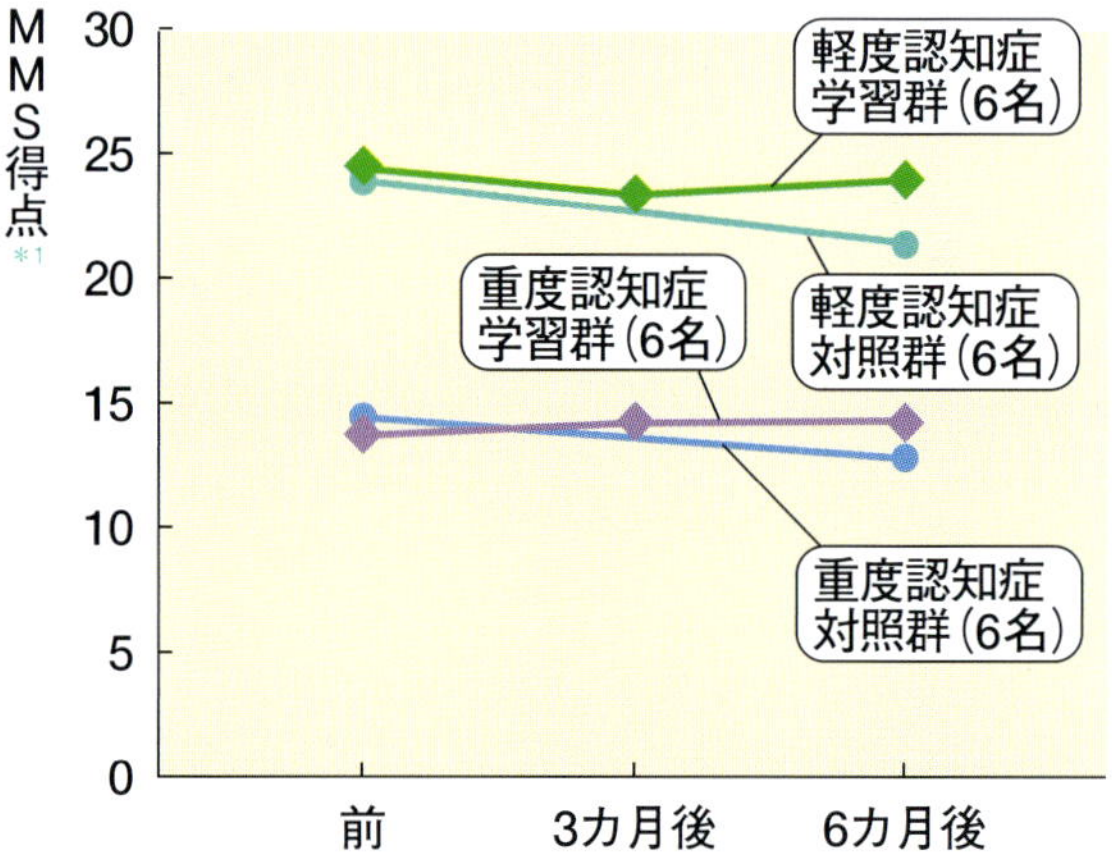

*1 MMS：理解する力や判断する力などの認知力を調べるテスト

3前頭葉機能の変化

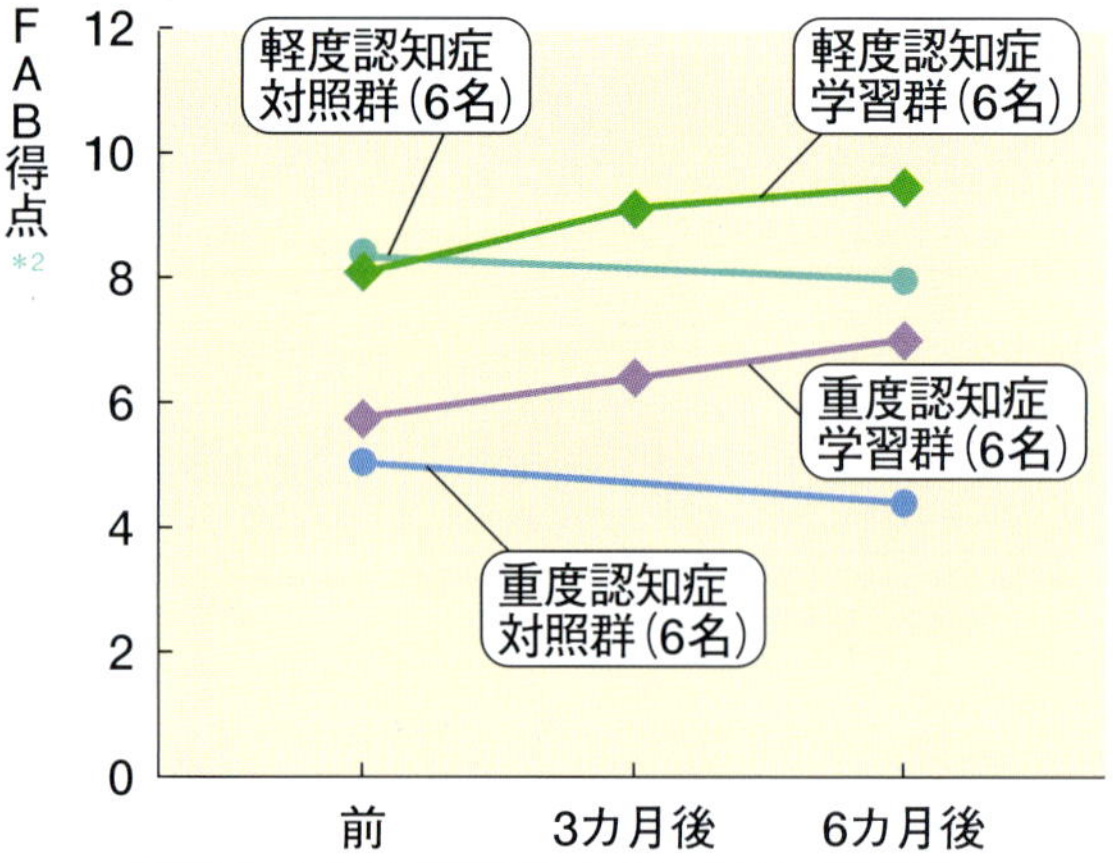

*2 FAB：言葉を作り出す力や行動を制御・抑制する力などの前頭葉を調べるテスト

■ 前記の認知症患者の行った音読や計算には、このトレーニングブックよりも、もっと易《やさ》しい専用の教材を使用しました。学習療法（別冊あとがき参照）の実際の現場では、認知症の方でも、すらすらと解ける難易度の教材を選んで使用しています。このトレーニングブックは、認知症の方にとって問題の難易度がやや高いため、学習療法に使用することはお勧《すす》めできません。

この本を使った脳のトレーニング方法

1 まずは現在の脳の働き具合をチェック

巻末の別冊１～３ページの３種類の前頭葉機能チェックを行い、現在の自分の脳の働き具合をチェックしておきましょう。（検査のやり方は**5**を見て下さい）

2 1日数分間のトレーニングを行います

トレーニングは継続することが大切です。トレーニングを行う時間は脳が最も活発に働く午前中が理想的です。食事をとってからトレーニングをしないと効果半減です。

多くの方が、トレーニングを午後や夜に行うと、朝行った場合よりも計算により時間がかかることを経験すると思います。なぜなら、午前中とその他の時間では、脳の働き具合が大きく異なるからです。日々のトレーニングによる計算能力の向上を体感するためには、できるだけ同じ時間に行うことをおすすめします。

3「音読60日」のコツ

１日表と裏１枚を行います。表面は、文章をできるだけ早く音読します。そのために、秒まで計れる時計を準備し、何分何秒で読めたかを記録します。そして、前回の自分の記録よりも早く読めるようにがんばりましょう。毎回の文章が違いますが、文章の横にある式で、毎秒あたりの音読語数を算出し、変化を確認しましょう。音読の時の声の大きさは、大きくても小さくてもどちらでも構いません。声にすることが重要です。

裏面の漢字の書き取りは、時間を気にせずに行いましょう。解答が別冊にありますが、できれば辞書を使って調べるようにしましょう。

4 週末には、脳の働き具合をチェック

「音読60日」は、毎週月～金曜日、毎日トレーニングを行い、週末の土日のどちらかで前頭葉機能検査を行うように作ってあります。たとえば、土日もトレーニングを行いたい、仕事の都合などで週に３日しかトレーニングできないという方は、５回のトレーニングを行うごとに前頭葉機能検査を行います。そして、前頭葉機能検査の結果を巻末の表に記録をつけていくと、脳が若返っていく変化（注６）を自分で確認することができるでしょう。日をあけてトレーニングを行うと効果が見えにくい場合があります。できる限り続けてトレーニングを行いましょう。

注６ ■脳の若返り曲線

脳の働きは、トレーニング（学習）の最初は比較的良好に向上します。しかし、必ず壁に当たり、検査成績が伸び悩む時期があります。その間もあきらめずにトレーニングを続けると、次のつき抜け期がやってきて、急激に成績が伸びます。検査成績では、伸びが無い壁のような時期があっても、その間に脳は力をためて次の飛躍《ひやく》の準備をすることを、忘れないでください。

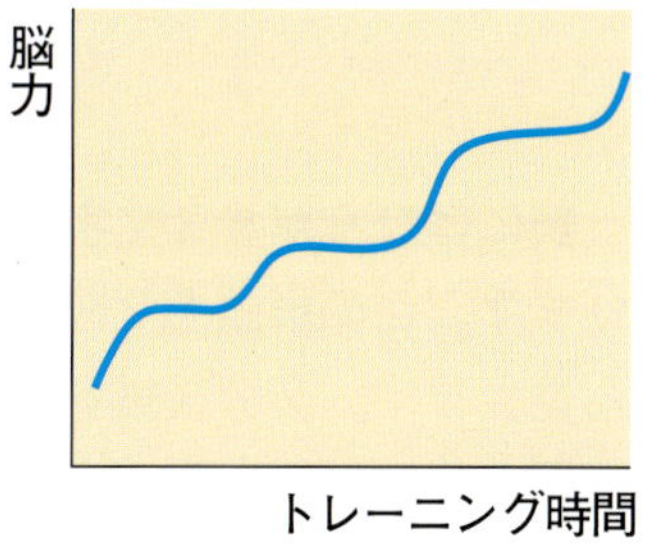

5 5回目ごとの前頭葉《ぜんとうよう》機能《きのう》検査《けんさ》の行い方

前頭葉機能検査は、トレーニングを始める前に１回（巻末別冊１～３ページの「トレーニングを始める前の前頭葉機能チェック」）、その後は、トレーニングを５回行うごとに行います。また、どのテストも時間を計るので、秒まで計れる時計やストップウォッチを用意し、家族の方など他の人にタイムを計測してもらうようにするといいでしょう。

●カウンティングテスト

１から120までの数字を声に出して、できるだけ早く順に数えて、その時間を計ります。必ず数字はきちんと発音するようにしましょう。左右の前頭前野《ぜんとうぜんや》の総合的な働きを評価します。また、カウンティングテストは数学の力とも相関していることがわかっています。45秒で中学生レベル、35秒で高校生レベル、25秒を切ると理系の大学生レベルです。目標タイムにして挑戦してみましょう。

●単語記憶テスト

表にはひらがな３文字の単語が30個書いてあります。この単語を２分間でできるだけたくさん覚えます。２分後紙を裏返し、２分間で単語を思い出しながら書き出します。２分間で何語正確に書き出せたかが点数になります。左脳《さのう》の短期記憶をあつかう前頭前野の機能を見るテストです。

●ストループテスト（巻末別冊４～15ページ）

色がついた色の名前（あか、あお、きいろ、くろ）の表があります。中には書かれている文字とその色が一致していないものがあります。このテストでは、文字の色を順に声に出して、答えていきます。文字を読むのではありませんから注意してください。

まずは１行分の練習をしましょう。練習が終わったら、本番です。すべての文字の色を答え終わるまでの秒数を計り、記録します。ストループテストは、左右の前頭前野の総合的な働きを評価します。また、個人により速さが大きく異なるために、目標や基準の数値はありません。前週の自分の記録を目標にしましょう。

■読み方の例

正しい答え→　あお　あか

○　くろ　きいろ

まちがえた答え→　くろ　きいろ

×　くろ　きいろ

※まちがえたら、同じところを答え直しましょう。

6 本書を使い終わったら…

この本を終えた後も、日々音読や書き取りを行う習慣を保つことが大切です。トレーニングをやめると脳機能は再びゆっくりと低下し始めます。是非、最初から繰り返し本書の音読や書き取りを続けてください。また、姉妹編の「計算ドリル」にも挑戦してみてください。

第1日

※トレーニングを始める前に、別冊1～3ページの「前頭葉機能チェック」を行いましょう。

月　日

次の文章を声に出してできる限り早く二回読みましょう。
（作品名と作者名も読みましょう）

開始時刻　分　秒

坊《ぼ》っちゃん

夏目漱石《なつめそうせき》

親譲《おやゆず》りの無鉄砲《むてっぽう》で小供《こども》の時《とき》から損《そん》ばかりしている。小《しょう》学校《がっこう》に居《い》る時分学校《じぶんがっこう》の二階《にかい》から飛《と》び降《お》りて一週間程腰《いっしゅうかんほどこし》を抜《ぬ》かした事《こと》がある。なぜそんな無闇《むやみ》をしたと聞《き》く人《ひと》があるかも知《し》れぬ。別段深《べつだんふか》い理由《りゆう》でもない。新築《しんちく》の二階《にかい》から首《くび》を出《だ》していたら、同級生《どうきゅうせい》の一人《ひとり》が冗談《じょうだん》に、いくら威張《いば》っても、そこから飛《と》び降《お》りる事《こと》は出来《でき》まい。弱虫《よわむし》やーい。と囃《はや》したからである。小使《こづかい》に負《お》ぶさって帰《かえ》って来《き》た時《とき》、おやじが大《おお》きな眼《め》をして二階位《にかいぐらい》から飛《と》び降《お》りて腰《こし》を抜《ぬ》かす奴《やつ》があるかと云《い》ったから、この次《つぎ》は抜《ぬ》かさずに飛《と》んで見《み》せますと答《こた》えた。

親類《しんるい》のものから西洋製《せいようせい》のナイフを貰《もら》って奇麗《きれい》な刃《は》を日《ひ》に翳《かざ》して、友達《ともだち》に見《み》せていたら、一人《ひとり》が光《ひか》る事《こと》は光《ひか》るが切《き》れそうもないと云《い》った。

終了時刻　分　秒　所要時間　分　秒＝①　秒　690音÷①　秒＝　音／秒

第1日 漢字の書き取り

月　日

正答率　/20

● 次の――線のカタカナを漢字になおしましょう。

1. 新車の**コウ**告《こく》。 ❷
2. 祭りの露《ろ》**テン**。 ❷
3. お**セチ**料理《りょうり》。 ❹
4. **カツ**期的《きてき》な発明。 ❷
5. 院《いん》**ナイ**感染《かんせん》のおそれ。 ❷
6. **ソウ**朝《ちょう》に目覚める。 ❶
7. 正《しょう》**ゴ**の時報が鳴る。 ❷
8. **ヤス**請《う》け合《あ》いする。 ❸
9. **マン**華鏡《げきょう》を作る。 ❷
10. **カイ**心《しん》の笑みをうかべる。 ❷
11. 前の席が**ア**く。 ❶
12. **ヨウ**毛《もう》から毛糸をとる。 ❸
13. 笑《え》**ガオ**を見せる。 ❷
14. 事故現場に人が**ムラ**がる。 ❺
15. 夜《よ》**ギ**車《しゃ》に乗る。 ❷
16. ラジオに電《でん》**チ**を入れる。 ❷
17. 温かな家《か》**テイ**。 ❸
18. 残《ざん》**ショ**見《み》舞《ま》いを出す。 ❸
19. **レイ**装《そう》で出席する。 ❸
20. 仕事を**ハジ**める。 ❸

次の文章を声に出してできる限り早く二回読みましょう。

開始時刻 分 秒

走《はし》れメロス

太宰《だざい》 治《おさむ》

メロスは激怒《げきど》した。必《かなら》ず、かの邪智暴虐《じゃちぼうぎゃく》の王《おう》を除《のぞ》かなければならぬと決意《けつい》した。メロスには政治《せいじ》がわからぬ。メロスは、村《むら》の牧人《ぼくじん》である。笛《ふえ》を吹《ふ》き、羊《ひつじ》と遊《あそ》んで暮《く》して来《き》た。けれども邪悪《じゃあく》に対《たい》しては、人《ひと》一倍《いちばい》に敏感《びんかん》であった。きょう未明《みめい》メロスは村《むら》を出発《しゅっぱつ》し、野《の》を越《こ》え山《やま》越《こ》え、十里《じゅうり》はなれた此《こ》のシラクスの市《いち》にやって来《き》た。メロスには父《ちち》も、母《はは》も無《な》い。女房《にょうぼう》も無《な》い。十六《じゅうろく》の、内気《うちき》な妹《いもうと》と二《ふた》人《り》暮《ぐら》しだ。この妹《いもうと》は、村《むら》の或《あ》る律気《りちぎ》な一牧人《いちぼくじん》を、近々《ちかぢか》、花婿《はなむこ》として迎《むか》える事《こと》になっていた。結婚式《けっこんしき》も間近《まぢか》なのである。メロスは、それゆえ、花嫁《はなよめ》の衣裳《いしょう》やら祝宴《しゅくえん》の御《ご》馳走《ちそう》やらを買《か》いに、はるばる市《いち》にやって来《き》たのだ。先《ま》ず、その品々《しなじな》を買《か》い集《あつ》め、それから都《みやこ》の大路《おおじ》をぶらぶら歩《ある》いた。メロスには竹馬《ちくば》の友《とも》があった。セリヌンティウスである。

終了時刻 分 秒　所要時間 分 秒＝① 秒　750音÷① 秒＝ 音／秒

第2日 漢字の書き取り

月　日

正答率　/20

● 次の――線のカタカナを漢字になおしましょう。

① 国を統《とう》**イツ**する。 ❶

② 本屋の**カド**を曲がる。 ❷

③ 酪《らく》**ノウ**家《か》に嫁《とつ》ぐ。 ❸

④ ボタンを**ト**める。 ❺

⑤ **ドウ**謡《よう》のＣＤを買う。 ❸

⑥ 行いを**アラタ**める。 ❹

⑦ 辞典を**モチ**いて調べる。 ❷

⑧ 独《どく》**ジ**の見解を述べる。 ❷

⑨ あやつり人《にん》**ギョウ**。 ❷

⑩ 島の周《しゅう》**イ**を測る。 ❹

⑪ 訪《ほう》**モン**する。 ❸

⑫ 親孝《おやこう》**コウ**。 ❷

⑬ 荷物の遅《ち》**ハイ**がある。 ❸

⑭ 天体望《てんたいぼう》**エン**鏡《きょう》。 ❷

⑮ 弁当を**ジ**参《さん》する。 ❸

⑯ 会社を設《せつ》**リツ**する。 ❶

⑰ **アラ**たな仕事に就《つ》く。 ❷

⑱ 水道《すいどう》**カン**から水がもれる。 ❹

⑲ デパートの**オク**上《じょう》。 ❸

⑳ **コ**かげで休む。 ❶

次の文章を声に出してできる限り早く二回読みましょう。

開始時刻　分　秒

銀河鉄道《ぎんがてつどう》の夜《よる》

宮沢賢治《みやざわけんじ》

「ではみなさんは、そういうふうに川《かわ》だと言《い》われたり、乳《ちち》の流《なが》れたあとだと言《い》われたりしていた、このぼんやりと白《しろ》いものがほんとうは何《なに》かご承知《しょうち》ですか。」

先生《せんせい》は、黒板《こくばん》につるした大《おお》きな黒《くろ》い星座《せいざ》の図《ず》の、上《うえ》から下《した》へ白《しろ》くけぶった銀河帯《ぎんがたい》のようなところをさしながら、みんなに問《と》いをかけました。

カムパネルラが手《て》をあげました。それから四五人《しごにん》手《て》をあげました。ジョバンニも手《て》をあげようとして、急《いそ》いでそのままやめました。

たしかにあれがみんな星《ほし》だと、いつか雑誌《ざっし》で読《よ》んだのでしたが、このごろはジョバンニはまるで毎日教室《まいにちきょうしつ》でもねむく、本《ほん》を読《よ》むひまも読《よ》む本《ほん》もないので、なんだかどんなこともよくわからないという気持《きも》ちがするのでした。

終了時刻　分　秒　所要時間　分　秒＝①　秒　630音÷①　秒＝　音／秒

第3日 漢字の書き取り

月　日

正答率　/20

● 次の――線のカタカナを漢字になおしましょう。

① 本を**カエ**す。 ❸

② 流行に**オク**れる。 ❷

③ **シャク**家《や》住《ず》まい。 ❹

④ **アタタ**かいスープ。 ❸

⑤ 料理が**サ**める。 ❹

⑥ 頭を**ツカ**う。 ❸

⑦ **アツ**い湯に入る。 ❹

⑧ 電《でん》**キュウ**が切れる。 ❸

⑨ 他人の罪を**キ**る。 ❸

⑩ 表を**サ**し示《しめ》す。 ❸

⑪ 靴《くつ》のひもを**ト**く。 ❺

⑫ 形が**カ**わる。 ❹

⑬ 注文を**ウ**ける。 ❸

⑭ 家の設計《せっけい》**ズ**。 ❷

⑮ 案内《あんない》**ガカリ**の人。 ❸

⑯ 退路を**タ**つ。 ❺

⑰ **テイ**重《ちょう》にお願いする。 ❸

⑱ 新幹線のスピードは**ハヤ**い。 ❸

⑲ 気持ちを**シズ**める。 ❹

⑳ 込《こ》み**イ**った話。 ❶

第4日

月　日

次の文章を声に出してできる限り早く一回読みましょう。

開始時刻　分　秒

蜘蛛《くも》の糸《いと》

芥川龍之介《あくたがわりゅうのすけ》

或《ある》日《ひ》の事《こと》でございます。御釈迦様《おしゃかさま》は極楽《ごくらく》の蓮池《はすいけ》のふちを、独《ひと》りでぶらぶら御歩《おある》きになっていらっしゃいました。池《いけ》の中《なか》に咲《さ》いている蓮《はす》の花《はな》は、みんな玉《たま》のようにまっ白《しろ》で、そのまん中《なか》にある金色《きんいろ》の蕊《ずい》からは、何《なん》とも云《い》えない好《よ》い匂《におい》が、絶間《たえま》なくあたりへ溢《あふ》れております。極楽《ごくらく》は丁度《ちょうど》朝《あさ》なのでございましょう。

やがて御釈迦様《おしゃかさま》はその池《いけ》のふちに御佇《おたたず》みになって、水《みず》の面《おもて》を蔽《おお》っている蓮《はす》の葉《は》の間《あいだ》から、ふと下《した》の容子《ようす》を御覧《ごらん》になりました。この極楽《ごくらく》の蓮池《はすいけ》の下《した》は、丁度《ちょうど》地獄《じごく》の底《そこ》に当《あた》っておりますから、水晶《すいしょう》のような水《みず》を透《す》き徹《とお》して、三途《さんず》の河《かわ》や針《はり》の山《やま》の景色《けしき》が、丁度《ちょうど》覗《のぞ》き眼鏡《めがね》を見《み》るように、はっきりと見《み》えるのでございます。

終了時刻　分　秒　所要時間　分　秒＝①　秒　658音÷①　秒＝　音／秒

第4日 漢字の書き取り

月　日

正答率　/20

● 次の――線のカタカナを漢字になおしましょう。

① 交渉《こうしょう》を**スス**める。 ❸

② 発言が誤解《ごかい》を**ウ**む。 ❶

③ 和尚《おしょう》の説《せっ》**キョウ**を聞く。 ❷

④ 息《いき》を**ト**める。 ❷

⑤ 往《おう》**フク**葉書《はがき》。 ❺

⑥ バスの**ジョウ**務員《むいん》。 ❸

⑦ 目《め》**ジルシ**をつける。 ❹

⑧ 教授の講《こう》**ギ**をきく。 ❺

⑨ 雑《ざっ》**ソウ**がはえる。 ❶

⑩ 仕事のこつを**オボ**える。 ❹

⑪ 勝《か》ち**イクサ**。 ❹

⑫ 首位に**ツ**ぐ成績。 ❸

⑬ 人を見《み》**オク**る。 ❸

⑭ 誤《あやま》りを**ナオ**す。 ❷

⑮ うわさが**ト**ぶ。 ❹

⑯ **ネン**を入れる。 ❹

⑰ 山に**ノボ**る。 ❸

⑱ 身辺を**トトノ**える。 ❸

⑲ 問題解決に**ツト**める。 ❹

⑳ ごまの**アブラ**で揚《あ》げる。 ❸

次の文章を声に出してできる限り早く一回読みましょう。

開始時刻　　分　　秒

高瀬舟《たかせぶね》

森《もり》 鷗外《おうがい》

高瀬舟《たかせぶね》は京都《きょうと》の高瀬川《たかせがわ》を上下《じょうげ》する小舟《こぶね》である。徳川時代《とくがわじだい》に京都《きょうと》の罪人《ざいにん》が遠島《えんとう》を申《もう》し渡《わた》されると、本人《ほんにん》の親類《しんるい》が牢屋敷《ろうやしき》へ呼《よ》び出《だ》されて、そこで暇乞《いとまご》いをすることを許《ゆる》された。それから罪人《ざいにん》は高瀬舟《たかせぶね》に乗《の》せられて、大阪《おおさか》へ廻《まわ》されることであった。それを護送《ごそう》するのは、京都町奉行《きょうとまちぶぎょう》の配下《はいか》にいる同心《どうしん》で、この同心《どうしん》は罪人《ざいにん》の親類《しんるい》の中《なか》で、おもだった一人《ひとり》を大阪《おおさか》まで同船《どうせん》させることを許《ゆる》す慣例《かんれい》であった。これは上《かみ》へ通《とお》った事《こと》ではないが、いわゆる大目《おおめ》に見《み》るのであった。黙許《もっきょ》であった。

当時《とうじ》遠島《えんとう》を申《もう》し渡《わた》された罪人《ざいにん》は、もちろん重《おも》い科《とが》を犯《おか》したものと認《みと》められた人《ひと》ではあるが、決《けっ》して盗《ぬす》みをするために、人《ひと》を殺《ころ》し火《ひ》を放《はな》ったというような、獰悪《どうあく》な人物《じんぶつ》が多数《たすう》を占《し》めていたわけではない。

終了時刻　　分　　秒　所要時間　　分　　秒＝①　　秒　738音÷①　　秒＝　　音／秒

第5日 漢字の書き取り

月　日

正答率　／20

● 次の――線のカタカナを漢字になおしましょう。

① 母に**タヨ**りを出す。 ❹

② 研究費の**メイ**目《もく》。 ❶

③ 身を**ヒ**く。 ❷

④ 漢字《かんじ》仮名《かな》**マ**じり文《ぶん》。 ❷

⑤ **ホン**来《らい》の姿《すがた》に戻《もど》る。 ❶

⑥ 友と駅で**ワカ**れる。 ❹

⑦ 口《くち》**ブエ**を吹《ふ》く。 ❸

⑧ 飲食《いんしょく》**ギョウ**。 ❸

⑨ 国境線を**サダ**める。 ❸

⑩ **ケン**解《かい》の相違《そうい》。 ❶

⑪ スエズ**ウン**河《が》。 ❸

⑫ 時間を**ハカ**る。 ❷

⑬ 言葉に**アラワ**す。 ❸

⑭ 文に**トウ**点《てん》をつける。 ❷

⑮ 書類を**ウツ**し取る。 ❸

⑯ 教えを**ト**く。 ❹

⑰ 自由**ガタ**で泳ぐ。 ❷

⑱ 土地を所《しょ》**ユウ**している。 ❸

⑲ 法の下《もと》の平《びょう》**ドウ**。 ❸

⑳ 天《てん》**ネン**の湧《わ》き水《みず》。 ❹

第1週 前頭葉機能検査 …………………… □月□日

Ⅰ カウンティングテスト

1から120までを声に出してできるだけ早く数えます。数え終わるまでにかかった時間を計りましょう。

□秒

Ⅱ 単語記憶テスト

まず、次のことばを、**2分間**で、できるだけたくさん覚えます。

つくし	うみべ	まじめ	さんそ	おんな	からだ
こたつ	むかし	ひばな	おかね	なまえ	せなか
きのこ	いふく	たまご	やすみ	いとこ	はたけ
りんご	えいご	ひので	つくえ	どせい	けしき
どうさ	すすき	あそび	へいわ	じしん	おんど

覚えたことばを、裏《うら》のページの解答用紙にできるだけたくさん書きます。
2分間で、覚えたことばを、いくつ思い出すことができますか？

Ⅱ 覚えたことばを、**2分間**で［　　］に書きましょう。

単語記憶テスト解答欄

正答数　　　語

Ⅲ 別冊4ページの「**ストループテスト**」も忘れずに行いましょう。

次の文章を声に出してできる限り早く一回読みましょう。

開始時刻　　分　　秒

夜《よ》明《あ》け前《まえ》

島崎藤村《しまざきとうそん》

木曾路《きそじ》はすべて山《やま》の中《なか》である。あるところは岨《そば》づたいに行《い》く崖《がけ》の道《みち》であり、あるところは数十間《すうじっけん》の深《ふか》さに臨《のぞ》む木曾川《きそがわ》の岸《きし》であり、あるところは山《やま》の尾《お》をめぐる谷《たに》の入《い》り口《ぐち》である。一筋《ひとすじ》の街道《かいどう》はこの深《ふか》い森林地帯《しんりんちたい》を貫《つらぬ》いていた。

東《ひがし》ざかいの桜沢《さくらざわ》から、西《にし》の十曲峠《じっきょくとうげ》まで、木曾《きそ》十一宿《じゅういちしゅく》はこの街道《かいどう》に添《そ》うて、二十二里余《にじゅうにりあまり》に亙《わた》る長《なが》い谿谷《けいこく》の間《あいだ》に散在《さんざい》していた。道路《どうろ》の位置《いち》も幾度《いくたび》か改《あらた》まったもので、古道《こどう》はいつの間《ま》にか深《ふか》い山間《やまあい》に埋《うず》もれた。名高《なだか》い桟《かけはし》も、蔦《つた》のかずらを頼《たの》みにしたような危《あぶな》い場処《ばしょ》ではなくなって、徳川《とくがわ》時代《じだい》の末《すえ》には既《すで》に渡《わた》ることの出来《でき》る橋《はし》であった。新規《しんき》に新規《しんき》にと出来《でき》た道《みち》はだんだん谷《たに》の下《した》の方《ほう》の位置《いち》へと降《くだ》って来《き》た。道《みち》の狭《せま》いところには、木《き》を伐《き》って並《なら》べ、藤《ふじ》づるでからめ、それで街道《かいどう》の狭《せま》いのを補《おぎな》った。

終了時刻　　分　　秒　所要時間　　分　　秒＝①　　秒　796音÷①　　秒＝　　音／秒

第6日 漢字の書き取り

月　日

正答率　/20

次の——線のカタカナを漢字になおしましょう。

1 両手をアわせる。

2 人事《じんじ》異《い》ドウ。

3 バットでボールをウつ。

4 ネッ心《しん》な練習態度。

5 過ジョウ評価。

6 社長のカわりに話す。

7 ノートをトる。

8 火のモトに注意する。

9 話し声がキこえる。

10 相《そう》ダンに乗る。

11 善《ぜん》リョウな市民。

12 身の回りの世《せ》ワをする。

13 ユイ緒《しょ》ある建物。

14 事件がオこる。

15 見《み》渡《わた》すカギりの花畑。

16 チュウ夜《や》を問わず働く。

17 ヒが消えたように寂《さび》しい。

18 消化《しょうか》キ官《かん》。

19 米《こめ》ダワラ。

20 思わずオモテを伏《ふ》せる。

次の文章を声に出してできる限り早く二回読みましょう。

開始時刻 分 秒

一房《ひとふさ》の葡萄《ぶどう》

有島武郎《ありしまたけお》

　ぼくは小《ちい》さい時《とき》に絵《え》をかくことがすきでした。ぼくの通《かよ》っていた学校《がっこう》は横浜《よこはま》の山《やま》の手《て》という所《ところ》にありましたが、そこいらは西洋人《せいようじん》ばかり住《す》んでいる町《まち》で、ぼくの学校《がっこう》も教師《きょうし》は西洋人《せいようじん》ばかりでした。そしてその学校《がっこう》の行《い》きかえりには、いつでもホテルや西洋人《せいようじん》の会社《かいしゃ》などがならんでいる海岸《かいがん》の通《とお》りを通《とお》るのでした。通《とお》りの海沿《うみぞ》いに立《た》って見《み》ると、真青《まっさお》な海《うみ》の上《うえ》に軍艦《ぐんかん》だの商船《しょうせん》だのがいっぱいならんでいて、煙突《えんとつ》からけむりの出《で》ているのや、檣《ほばしら》から檣《ほばしら》へ万国旗《ばんこくき》をかけわたしたのやがあって、目《め》がいたいようにきれいでした。ぼくはよく岸《きし》に立《た》ってその景色《けしき》を見《み》わたして、家《いえ》に帰《かえ》ると、覚《おぼ》えているだけをできるだけ美《うつく》しく絵《え》にかいてみようとしました。けれどもあのすきとおるような海《うみ》の藍色《あいいろ》と、白《しろ》い帆前船《ほまえせん》などの水《みず》ぎわ近《ちか》くにぬってある洋紅色《ようこうしょく》とは、……（略）

終了時刻 分 秒　所要時間 分 秒＝① 秒　784音÷ ①秒＝ 音／秒

第7日 漢字の書き取り

月　日

正答率　/20

● 次の――線のカタカナを漢字になおしましょう。

① 火事で、家が全《ぜん》**ショウ**する。 ❹

② 判決が無《む》**ザイ**と出る。 ❺

③ 千《せん》**ゴク**船《ぶね》で荷物を運ぶ。 ❶

④ 分割《ぶんかつ》で**ショウ**品《ひん》を買う。 ❸

⑤ 頭の中が**コン**乱《らん》している。 ❺

⑥ **ソツ**業式《ぎょうしき》。 ❹

⑦ 目方を**ハカ**る。 ❹

⑧ 団結が**カタ**い。 ❹

⑨ 百メートル**キョウ**走《そう》。 ❹

⑩ 仕事が**シュウ**了《りょう》する。 ❸

⑪ 異《い》**ギ**を唱える。 ❹

⑫ 全国を遊《ゆう》**ゼイ**して歩く。 ❹

⑬ 手紙の**ヘン**事《じ》を出す。 ❸

⑭ 私《わたくし》の**アイ**唱歌《しょうか》。 ❹

⑮ **コウ**明正大《めいせいだい》。 ❷

⑯ **アク**事千里《じせんり》を走る。 ❸

⑰ 苦《く》**エキ**に従事《じゅうじ》した。 ❸

⑱ 保《ほ》**ショウ**人《にん》が要る。 ❺

⑲ 自動車の**ブ**品《ひん》。 ❸

⑳ 草笛の**ネ**色《いろ》。 ❶

次の文章を声に出してできる限り早く二回読みましょう。

開始時刻 □分 □秒

ごん狐《きつね》

新美南吉《にいみなんきち》

これは、私《わたし》が小《ちい》さいときに、村《むら》の茂平《もへい》というおじいさんからきいたお話《はなし》です。

むかしは、私《わたし》たちの村《むら》のちかくの、中山《なかやま》というところに小《ちい》さなお城《しろ》があって、中山《なかやま》さまというおとのさまが、おられたそうです。

その中山《なかやま》から、少《すこ》しはなれた山《やま》の中《なか》に、「ごん狐《きつね》」と言《い》う狐《きつね》がいました。ごんは、一人《ひとり》ぼっちの小狐《こぎつね》で、しだの一《いっ》ぱいしげった森《もり》の中《なか》に穴《あな》をほって住《す》んでいました。そして、夜《よる》でも昼《ひる》でも、あたりの村《むら》へ出《で》て来《き》て、いたずらばかりしました。はたけへはいって芋《いも》をほりちらしたり、菜種《なたね》がらの、ほしてあるのへ火《ひ》をつけたり、百姓家《ひゃくしょうや》の裏手《うらて》につるしてあるとんがらしをむしりとって、いったり、いろんなことをしました。

終了時刻 □分 □秒　所要時間 □分 □秒＝①□秒　600音÷①□秒＝□音／秒

第8日 漢字の書き取り

月　日

正答率　/20

● 次の——線のカタカナを漢字になおしましょう。

① 人《じん》**コウ**衛星《えいせい》。 ❷

② 朝顔の発《はっ》**ガ**の観察。 ❹

③ **イ**気《く》地《じ》なし。 ❸

④ 小《こ》**ヅツミ**を送る。 ❹

⑤ 目を**サ**ます。 ❹

⑥ **アツ**い壁《かべ》ではばまれる。 ❺

⑦ 紅顔《こうがん》の**ビ**少年《しょうねん》。 ❸

⑧ 俳句《はいく》の**キ**語《ご》。 ❹

⑨ 二十一世《せい》**キ**の始まり。 ❹

⑩ となりの**キャク**。 ❸

⑪ 精根が尽《つ》き**ハ**てる。 ❹

⑫ **ク**内庁《ないちょう》。 ❸

⑬ 気持ちが**ヤワ**らぐ。 ❸

⑭ 文章を**ネ**る。 ❸

⑮ **ハイ**北《ぼく》を認《みと》める。 ❹

⑯ 水を**ア**びる。 ❹

⑰ 第一印《だいいちいん》**ショウ**が良い。 ❹

⑱ **ヤク**剤師《ざいし》の資格を取る。 ❸

⑲ 野原一《のはらいち》**メン**の雪景色。 ❸

⑳ 実《じっ》**レイ**をあげる。 ❹

次の文章を声に出してできる限り早く二回読みましょう。

開始時刻　分　秒

吾輩《わがはい》は猫《ねこ》である

夏目漱石《なつめそうせき》

吾輩《わがはい》は猫《ねこ》である。名前《なまえ》はまだない。

どこで生《う》れたか頓《とん》と見当《けんとう》がつかぬ。何《なん》でも薄暗《うすぐら》いじめじめした所《ところ》でニャーニャー泣《な》いていた事《こと》だけは記憶《きおく》している。吾輩《わがはい》はここで始《はじ》めて人間《にんげん》というものを見《み》た。しかもあとで聞《き》くとそれは書生《しょせい》という人間中《にんげんじゅう》で一番獰悪《いちばんどうあく》な種族《しゅぞく》であったそうだ。この書生《しょせい》というのは時々《ときどき》我々《われわれ》を捕《つかま》えて煮《に》て食《く》うという話《はなし》である。しかしその当時《とうじ》は何《なん》という考《かんがえ》もなかったから別段恐《べつだんおそろ》しいとも思《おも》わなかった。ただ彼《かれ》の掌《てのひら》に載《の》せられてスーと持《も》ち上《あ》げられた時何《ときなん》だかフワフワした感《かん》じがあったばかりである。掌《てのひら》の上《うえ》で少《すこ》し落《お》ち付《つ》いて書生《しょせい》の顔《かお》を見《み》たのがいわゆる人間《にんげん》というものの見始《みはじめ》であろう。この時妙《ときみょう》なものだと思《おも》った感《かん》じが今《いま》でも残《のこ》っている。

終了時刻　分　秒　所要時間　分　秒＝①　秒　728音÷①　秒＝　音／秒

漢字の書き取り

月　日

正答率　/20

● 次の――線のカタカナを漢字になおしましょう。

① 職場を**サ**る。　❸

② **ギョ**業組合《ぎょうくみあい》。　❹

③ **シン**刻《こく》な事態におちいる。　❸

④ 新《しん》**キ**まき直し。　❺

⑤ 体力が**テイ**下《か》する。　❹

⑥ のどかな**デン**園風景《えんふうけい》。　❶

⑦ **カロ**やかな足どり。　❸

⑧ **カ**学薬品《がくやくひん》。　❸

⑨ 弟は**コン**性《じょう》がある。　❸

⑩ **シ**の朗読《ろうどく》をする。　❸

⑪ 労働基《ろうどうき》**ジュン**法《ほう》。　❺

⑫ 国を**オサ**める。　❹

⑬ 室内に氷《ひょう》**チュウ**を立てる。　❸

⑭ **キュウ**急車《きゅうしゃ》。　❹

⑮ 宝くじに**ア**たった。　❷

⑯ 石《せき》**タン**を掘《ほ》る。　❸

⑰ 港の**ハ**止場《とば》。　❸

⑱ 過《か》**ジュウ**な労働。　❸

⑲ 靴《くつ》を一《いっ》**ソク**買う。　❶

⑳ 車の**チョウ**子《し》を見る。　❸

次の文章を声に出してできる限り早く二回読みましょう。

開始時刻 □分 □秒

女生徒《じょせいと》

太宰《だざい》 治《おさむ》

あさ、目《め》をさますときの気持《きも》ちは、おもしろい。かくれんぼのとき、押《お》し入《い》れのまっ暗《くら》い中《なか》に、じっと、しゃがんで隠《かく》れていて、突然《とつぜん》、でこちゃんに、がらっと襖《ふすま》をあけられ、日《ひ》の光《ひかり》がどっと来《き》て、でこちゃんに、「見《み》つけた！」と大声《おおごえ》で言《い》われて、まぶしさ、それから、へんな間《ま》の悪《わる》さ、それから、胸《むね》がどきどきして、着物《きもの》のまえを合《あ》わせたりして、ちょっと、てれくさく、押《お》し入《い》れから出《で》て来《き》て、急《きゅう》にむかむか腹立《はらだ》たしく、あの感《かん》じ、いや、ちがう、あの感《かん》じでもない、なんだか、もっとやりきれない。箱《はこ》をあけると、その中《なか》に、また小《ちい》さい箱《はこ》があって、その小《ちい》さい箱《はこ》をあけると、またその中《なか》に、もっと小《ちい》さい箱《はこ》があって、そいつをあけると、また、また、小《ちい》さい箱《はこ》があって、その小《ちい》さい箱《はこ》をあけると、また箱《はこ》があって、……（略）

終了時刻 □分 □秒　所要時間 □分 □秒＝①□秒　618音÷①□秒＝□音／秒

第10日 漢字の書き取り

月　日

正答率 /20

● 次の――線のカタカナを漢字になおしましょう。

① **セツ**❹度《ど》ある振《ふ》る舞《ま》い。

② 留《る》**ス**❸番《ばん》。

③ **オウ**❸断《だん》歩《ほ》道《どう》。

④ 積乱《せきらん》**ウン**❷。

⑤ 便りが**タ**❺える。

⑥ 家で**タイ**❸機《き》する。

⑦ 陸《りっ》**キョウ**❸を渡《わた》る。

⑧ 植《しょく》**リン**❶は重労働だ。

⑨ 事《じ》**タイ**❺を収拾《しゅうしゅう》する。

⑩ 物語の**シュ**❸人公《じんこう》。

⑪ 日本《にほん》**シュ**❸を飲む。

⑫ 横綱《よこづな》が全《ぜん》**ショウ**❸した。

⑬ ごみを**ヤ**❹く。

⑭ 研究の**ジョ**❸成金《せいきん》。

⑮ 日に**テ**❹らされる。

⑯ 災害を未《み》**ゼン**❹に防ぐ。

⑰ 内閣総理大《ないかくそうりだい》**ジン**❹。

⑱ 自分を**カエリ**❹みる。

⑲ 月刊《げっかん》**ザッ**❺誌《し》。

⑳ **ケイ**❷浜工業地帯《ひんこうぎょうちたい》。

第2週 前頭葉機能検査

□月□日

Ⅰ カウンティングテスト

1から120までを声に出してできるだけ早く数えます。数え終わるまでにかかった時間を計りましょう。

□秒

Ⅱ 単語記憶テスト

まず、次のことばを、**2分間**で、できるだけたくさん覚えます。

てあし	かぞく	ほさき	こだま	へちま	あたま
むかで	うりね	ひぐれ	けむし	とうふ	せのび
たらい	のはら	しずく	まつげ	きぶん	おじぎ
はだし	こうじ	なまず	いなか	やなぎ	さんぽ
あぶら	ようじ	すいじ	わかめ	かるた	となり

覚えたことばを、裏《うら》のページの解答用紙にできるだけたくさん書きます。**2分間**で、覚えたことばを、いくつ思い出すことができますか？

Ⅱ　覚えたことばを、**2分間**で［　　］に書きましょう。

単語記憶テスト解答欄

正答数　　語

Ⅲ　別冊5ページの「**ストループテスト**」も忘れずに行いましょう。

次の文章を声に出してできる限り早く二回読みましょう。

開始時刻　分　秒

注文《ちゅうもん》の多《おお》い料理店《りょうりてん》

宮沢賢治《みやざわけんじ》

二人《ふたり》の若《わか》い紳士《しんし》が、すっかりイギリスの兵隊《へいたい》のかたちをして、ぴかぴかする鉄砲《てっぽう》をかついで、白熊《しろくま》のような犬《いぬ》を二疋《にひき》つれて、だいぶ山奥《やまおく》の、木《こ》の葉《は》のかさかさしたとこを、こんなことを言《い》いながら、あるいておりました。

「ぜんたい、ここらの山《やま》は怪《け》しからんね。鳥《とり》も獣《けだもの》も一疋《いっぴき》も居《い》やがらん。なんでも構《かま》わないから、早《はや》くタンタアーンと、やって見《み》たいもんだなあ。」

「鹿《しか》の黄《き》いろな横《よこ》っ腹《ぱら》なんぞに、二三発《にさんぱつ》お見舞《みまい》もうしたら、ずいぶん痛快《つうかい》だろうねえ。くるくるまわって、それからどたっと倒《たお》れるだろうねえ。」

それはだいぶの山奥《やまおく》でした。案内《あんない》してきた専門《せんもん》の鉄砲《てっぽう》打ちも、ちょっとまごついて、どこかへ行《い》ってしまったくらいの山奥《やまおく》でした。

終了時刻　分　秒　所要時間　分　秒＝①　秒　624音÷①　秒＝　音／秒

第11日 漢字の書き取り

月　日

正答率　/20

● 次の――線のカタカナを漢字になおしましょう。

1. 校庭を**カイ**放《ほう》する。 ❸
2. 異《い》**ジョウ**な行動。 ❺
3. 意《い》思《し》表《ひょう》**ジ**する。 ❺
4. 危《き》**キ**一《いっ》髪《ぱつ》。 ❹
5. 音楽に関《かん》**シン**を持つ。 ❷
6. 地《ち》方《ほう》行《ぎょう》**セイ**。 ❺
7. 生活の**ジッ**態《たい》。 ❸
8. **コウ**頭《とう》試《し》問《もん》。 ❶
9. 時《じ》機《き》到《とう》**ライ**。 ❷
10. 脅《きょう》迫《はく》**ジョウ**。 ❺
11. お経を**トナ**える。 ❹
12. 民《みん》**ゾク**大移動。 ❸
13. 家族を**ヤシナ**う。 ❹
14. 意《い》味《み》深《しん》**チョウ**。 ❷
15. 文芸復興の**キ**運《うん》が高まる。 ❶
16. 労《ろう》**ドウ**運《うん》動《どう》。 ❹
17. **キョウ**同《どう》募《ぼ》金《きん》。 ❹
18. 食後に薬を**ノ**む。 ❸
19. 会社の厚《こう》生《せい》施《し》**セツ**。 ❺
20. 後《こう》**セイ**に名を残す。 ❸

次の文章を声に出してできる限り早く二回読みましょう。

開始時刻 分 秒

トロッコ

芥川龍之介《あくたがわりゅうのすけ》

小田原《おだわら》熱海《あたみ》間《かん》に、軽便鉄道敷設《けいべんてつどうふせつ》の工事《こうじ》が始《はじ》まったのは、良平《りょうへい》の八《やっ》つの年《とし》だった。良平《りょうへい》は毎日村外《まいにちむらはず》れへ、その工事《こうじ》を見物《けんぶつ》に行《い》った。工事《こうじ》を——といった所《ところ》が、唯《ただ》トロッコで土《つち》を運搬《うんぱん》する——それが面白《おもしろ》さに見《み》に行《い》ったのである。

トロッコの上《うえ》には土工《どこう》が二人《ふたり》、土《つち》を積《つ》んだ後《あと》に佇《たたず》んでいる。トロッコは山《やま》を下《くだ》るのだから、人手《ひとで》を借《か》りずに走《はし》って来《く》る。煽《あお》るように車台《しゃだい》が動《うご》いたり、土工《どこう》の袢纏《はんてん》の裾《すそ》がひらついたり、細《ほそ》い線路《せんろ》がしなったり——良平《りょうへい》はそんなけしきを眺《なが》めながら、土工《どこう》になりたいと思《おも》う事《こと》がある。せめては一度《いちど》でも土工《どこう》と一《いっ》しょに、トロッコへ乗《の》りたいと思《おも》う事《こと》もある。トロッコは村外《むらはず》れの平地《へいち》へ来《く》ると、自然《しぜん》と其処《そこ》に止《と》まってしまう。と同時《どうじ》に土工《どこう》たちは、身軽《みがる》にトロッコを飛《と》び降《お》りるが早《はや》いか、その線路《せんろ》の終点《しゅうてん》へ車《くるま》の土《つち》をぶちまける。

終了時刻 分 秒　所要時間 分 秒＝① 秒　760音÷① 秒＝ 音／秒

第12日 漢字の書き取り

月　日

正答率　/20

● 次の――線のカタカナを漢字になおしましょう。

① 国際《こくさい》**キョウ**調《ちょう》。 ❹

② 選挙の日を公《こう》**コク**する。 ❹

③ 器《き》**カイ**体操《たいそう》。 ❹

④ 徒歩での**ショ**要時間《ようじかん》。 ❸

⑤ 真理を探《たん》**キュウ**する。 ❸

⑥ 補習《ほしゅう》**ジュ**業《ぎょう》。 ❺

⑦ 閑《かん》**セイ**なたたずまい。 ❹

⑧ 昆虫《こんちゅう》**サイ**集《しゅう》をする。 ❺

⑨ **フ**呂敷《ろしき》で包む。 ❷

⑩ 資《し》**カク**審査《しんさ》。 ❺

⑪ **シン**経質《けいしつ》な性格。 ❸

⑫ 束縛《そくばく》から**カイ**放《ほう》する。 ❺

⑬ **セイ**魂《こん》をこめる。 ❺

⑭ 絶《ぜっ》**タイ**絶命《ぜつめい》。 ❷

⑮ 野《や》**サイ**の促成栽培《そくせいさいばい》。 ❹

⑯ 受け入れ態《たい》**セイ**を整える。 ❺

⑰ 呼吸器《こきゅうき》**カン**。 ❹

⑱ 責任を**ツイ**及《きゅう》する。 ❸

⑲ 夕食の材《ざい》**リョウ**を買う。 ❹

⑳ 日本の首《しゅ》**ショウ**。 ❸

第13日

月　日

次の文章を声に出してできる限り早く二回読みましょう。

開始時刻　分　秒

山椒大夫《さんしょうだゆう》

森《もり》　鷗外《おうがい》

越後《えちご》の春日《かすが》を経《へ》て今津《いまづ》へ出《で》る道《みち》を、珍《めずら》しい旅人《たびびと》の一群《ひとむ》れが歩《ある》いている。母《はは》は三十歳《さんじっさい》をこえたばかりの女《おんな》で、二人《ふたり》の子供《こども》を連《つ》れている。姉《あね》は十四《じゅうし》、弟《おとうと》は十二《じゅうに》である。それに四十《しじゅう》ぐらいの女中《じょちゅう》が一人《ひとり》ついて、くたびれた同胞《はらから》を、「もうじきにお宿《やど》にお着《つ》きなさいます」と言《い》って励《はげ》まして歩《ある》かせようとする。二人《ふたり》の中《なか》で、姉娘《あねむすめ》は足《あし》を引《ひ》きずるようにして歩《ある》いているが、それでも気《き》が勝《まさ》っていて、疲《つか》れたのを母《はは》や弟《おとうと》に知《し》らせまいとして、おりおり思《おも》い出《だ》したように弾力《だんりょく》のある歩《ある》きつきをして見《み》せる。近《ちか》い道《みち》を物《もの》詣《まい》りにでも歩《ある》くのなら、ふさわしくも見《み》えそうな一群《ひとむ》れであるが、笠《かさ》やら杖《つえ》やらかいがいしいいでたちをしているのが、誰《たれ》の目《め》にも珍《めずら》しく、また気《き》の毒《どく》に感《かん》ぜられるのである。

終了時刻　分　秒　所要時間　分　秒＝①　秒　710音÷①　秒＝　音／秒

第13日 漢字の書き取り

月　日

正答率　/20

● 次の——線のカタカナを漢字になおしましょう。

① 環境《かんきょう》**エイ**生《せい》に注意する。

② 電気の節《せつ》**ヤク**をする。

③ 闘《とう》**シ**を燃やす。

④ 北に進《しん》**ロ**を取る。

⑤ 前人《ぜんじん》**ミ**到《とう》の大記録。

⑥ 灯《とう》**ダイ**守《もり》。

⑦ 銀行の**ヨ**金《きん》。

⑧ けが人を収《しゅう》**ヨウ**する。

⑨ 平和の探《たん》**キュウ**。

⑩ 野《や》性《せい》**テキ**な動き。

⑪ **ソン**害《がい》を補償《ほしょう》する。

⑫ 窓口《まどぐち》で**オウ**対《たい》する。

⑬ 役人の**アマ**下《くだ》り。

⑭ けんかの**ヨウ**因《いん》は何ですか。

⑮ 河に堤《てい》**ボウ**を築く。

⑯ 悲《ひ》**メイ**をあげる。

⑰ 北限の不《ふ》**モウ**の大地。

⑱ 生物の分《ぶん》**ヤ**にくわしい。

⑲ **ヤ**つ当《あ》たり。

⑳ 笑う門には**フク**来たる。

次の文章を声に出してできる限り早く一回読みましょう。

開始時刻　　分　　秒

千曲川《ちくまがわ》のスケッチ

島崎藤村《しまざきとうそん》

敬愛《けいあい》する吉村《よしむら》さん――樹《しげる》さん――私《わたし》は今《いま》、序《じょ》にかえて君《きみ》に宛《あ》てた一文《いちぶん》をこの書《しょ》のはじめに記《しる》すにつけても、やはり呼《よ》び慣《な》れたように君《きみ》の親《した》しい名《な》を呼《よ》びたい。私《わたし》は多《た》年心《ねんこころ》掛《が》けて君《きみ》に呈《てい》したいと思《おも》っていたその山上生活《さんじょうせいかつ》の記《き》念《ねん》を漸《ようや》く今《いま》纏《まと》めることが出来《でき》た。

樹《しげる》さん、君《きみ》と私《わたし》との縁故《えんこ》も深《ふか》く久《ひさ》しい。私《わたし》は君《きみ》の生《うま》れない前《まえ》から君《きみ》の家《いえ》にまだ少年《しょうねん》の身《み》を託《たく》して、君《きみ》が生《うま》れてからは幼《おさな》い時《とき》の君《きみ》を抱《だ》き、君《きみ》をわが背《せ》に乗《の》せて歩《ある》いた。君《きみ》が日本橋久松町《にほんばしひさまつちょう》の小学校《しょうがっこう》へ通《かよ》われる頃《ころ》は、私《わたし》は白金《しろかね》の明治学院《めいじがくいん》へ通《かよ》った。君《きみ》と私《わたし》とは殆《ほと》んど兄弟《きょうだい》のようにして成長《せいちょう》して来《き》た。私《わたし》が木曾《きそ》の姉《あね》の家《いえ》に一夏《ひとなつ》を送《おく》った時《とき》には君《きみ》をも伴《ともな》った。その時《とき》がたしか君《きみ》に取《と》っての初旅《はつたび》であったと覚《おぼ》えている。

終了時刻　　分　　秒　所要時間　　分　　秒＝①　　秒　778音÷①　　秒＝　　音／秒

第14日 漢字の書き取り

月　日

正答率　/20

● 次の――線のカタカナを漢字になおしましょう。

① 座《ざ》**ユウ**の銘《めい》。 ❶

② 親《しん》**ミ**になって相談に乗る。 ❸

③ 自《じ》**セイ**心《しん》の強い人。 ❺

④ 切手を収《しゅう》**シュウ**する。 ❸

⑤ 絶《ぜっ》**タイ**的権力《てきけんりょく》。 ❸

⑥ 写真の**シュウ**整《せい》をする。 ❺

⑦ 教師としての**テキ**性《せい》がある。 ❺

⑧ 国会議《こっかいぎ》**イン**になる。 ❸

⑨ 一年間の**ホ**証《しょう》つき。 ❺

⑩ **フ**変《へん》の愛を貫《つらぬ》く。 ❹

⑪ 時計を**ブン**解《かい》する。 ❷

⑫ 事件を糾《きゅう》**メイ**する。 ❷

⑬ 技術者速《ぎじゅつしゃそく》**セイ**講座《こうざ》。 ❹

⑭ 文化《ぶんか》**サイ**に出品する。 ❸

⑮ 両親の身を**アン**ずる。 ❹

⑯ **シ**本主義社会《ほんしゅぎしゃかい》。 ❺

⑰ 外科の専《せん》**モン**医《い》。 ❷

⑱ 極限に**タッ**する。 ❹

⑲ 一度食べて**ヤ**みつきになった。 ❸

⑳ 取り引きの**ケッ**済《さい》をする。 ❸

次の文章を声に出してできる限り早く一回読みましょう。

開始時刻　　分　　秒

小《ちい》さき者《もの》へ

有島武郎《ありしまたけお》

お前《まえ》たちが大《おお》きくなって、一人前《いちにんまえ》の人間《にんげん》に育《そだ》ち上《あが》った時《とき》、——その時《とき》までお前《まえ》たちのパパは生《い》きているかいないか、それは分《わか》らない事《こと》だが——父《ちち》の書《か》き残《のこ》したものを繰《くり》拡《ひろ》げて見《み》る機会《きかい》があるだろうと思《おも》う。その時《とき》この小《ちい》さな書《か》き物《もの》もお前《まえ》たちの眼《め》の前《まえ》に現《あら》われ出《で》るだろう。時《とき》はどんどん移《うつ》って行《ゆ》く。お前《まえ》たちの父《ちち》なる私《わたし》がその時《とき》お前《まえ》たちにどう映《うつ》るか、それは想像《そうぞう》も出来《でき》ない事《こと》だ。恐《おそ》らく私《わたし》が今《いま》ここで、過《す》ぎ去《さ》ろうとする時代《じだい》を嗤《わら》い憐《あわ》れんでいるように、お前《まえ》たちも私《わたし》の古臭《ふるくさ》い心持《こころもち》を嗤《わら》い憐《あわ》れむのかも知《し》れない。私《わたし》はお前《まえ》たちの為《た》めにそうあらんことを祈《いの》っている。お前《まえ》たちは遠慮《えんりょ》なく私《わたし》を踏台《ふみだい》にして、高《たか》い遠《とお》い所《ところ》に私《わたし》を乗《の》り越《こ》えて進《すす》まなければ間違《まちが》っているのだ。

終了時刻　　分　　秒　所要時間　　分　　秒＝①　　秒　726音÷①　　秒＝　　音／秒

第15日 漢字の書き取り

　月　日

正答率　/20

● 次の――線のカタカナを漢字になおしましょう。

① 明《めい》**アン**が分かれる。 ❸□

② **カイ**適《てき》な暮《く》らし。 ❺□

③ 現役を**イン**退《たい》する。 ❷□

④ 畑を**タガヤ**す。 ❺□

⑤ ネコの**ヒタイ**のような土地。 ❺□

⑥ **オウ**復《ふく》切《きっ》符《ぷ》。 ❺□

⑦ 黒《こく》**ビャク**をつける。 ❶□

⑧ 手帳に**シル**す。 ❷□

⑨ 温《おん》**コウ**な性格。 ❺□

⑩ 人に親《しん》**セツ**にする。 ❷□

⑪ 入学《にゅうがく》**ガン**書《しょ》の受け付け。 ❹□

⑫ 昔話を**カタ**る。 ❷□

⑬ **チョウ**刊《かん》に目を通す。 ❷□

⑭ **ミ**つ指《ゆび》をついてあいさつする。 ❶□

⑮ ひもを**ムス**ぶ。 ❹□

⑯ 耳《じ》**ビ**咽《いん》喉《こう》科《か》。 ❸□

⑰ 腐《ふ》**ヨウ**土《ど》で植木を育てる。 ❸□

⑱ 時間を**ツイ**やす。 ❹□

⑲ 入場《にゅうじょう》**ケン**を買う。 ❺□

⑳ 遭難者《そうなんしゃ》の**アン**否《ぴ》を気遣《きづか》う。 ❸□

前頭葉機能検査 …………………… □月□日

Ⅰ カウンティングテスト

1から120までを声に出してできるだけ早く数えます。数え終わるまでにかかった時間を計りましょう。

□秒

Ⅱ 単語記憶テスト

まず、次のことばを、**2分間**で、できるだけたくさん覚えます。

おんぱ	はなび	すうじ	あたり	どうろ	こうば
たらこ	しせい	まつり	かたち	なみだ	いのち
れきし	うりば	けむり	むしば	つづき	せりふ
さんま	へんか	てがみ	おちば	まんが	きぼう
かんじ	とびら	あまど	ひばり	すずめ	ことば

覚えたことばを、裏《うら》のページの解答用紙にできるだけたくさん書きます。
2分間で、覚えたことばを、いくつ思い出すことができますか？

Ⅱ　覚えたことばを、**2分間**で ＿＿ に書きましょう。

単語記憶テスト解答欄

正答数　　語

Ⅲ　別冊6ページの「**ストループテスト**」も忘れずに行いましょう。

第16日

□月　□日

次の文章を声に出してできる限り早く二回読みましょう。

開始時刻　□分　□秒

手袋《てぶくろ》を買《か》いに

新美南吉《にいみなんきち》

　寒《さむ》い冬《ふゆ》が北方《ほっぽう》から、狐《きつね》の親子《おやこ》の棲《す》んでいる森《もり》へもやって来《き》ました。

　或朝洞穴《あるあさほらあな》から子供《こども》の狐《きつね》が出《で》ようとしましたが、

「あっ」と叫《さけ》んで眼《め》を抑《おさ》えながら母《かあ》さん狐《きつね》のところへころげて来《き》ました。

「母《かあ》ちゃん、眼《め》に何《なに》か刺《さ》さった、ぬいて頂戴《ちょうだい》早《はや》く早《はや》く」と言《い》いました。

　母《かあ》さん狐《きつね》がびっくりして、あわてふためきながら、眼《め》を抑《おさ》えている子供《こども》の手《て》を恐《おそ》る恐《おそ》るとりのけて見《み》ましたが、何《なに》も刺《さ》さってはいませんでした。母《かあ》さん狐《きつね》は洞穴《ほらあな》の入口《いりぐち》から外《そと》へ出《で》て始《はじ》めてわけが解《わか》りました。昨夜《さくや》のうちに、真白《まっしろ》な雪《ゆき》がどっさり降《ふ》ったのです。その雪《ゆき》の上《うえ》からお陽《ひ》さまがキラキラと照《てら》していたので、雪《ゆき》は眩《まぶ》しいほど反射《はんしゃ》していたのです。

終了時刻　□分　□秒　　所要時間　□分　□秒＝①□秒　　626音÷①□秒＝□音／秒

第16日 漢字の書き取り

月　日

正答率　/20

● 次の——線のカタカナを漢字になおしましょう。

① **イ**は仁術《じんじゅつ》なり。
② 温泉旅《おんせんりょ》**カン**に泊《と》まる。
③ 大きさを**クラ**べる。
④ 行程の**ナカ**ばが過ぎる。
⑤ 難関《なんかん》を突《とっ》**パ**する。
⑥ 物《もの》**オモ**いに沈《しず》む。
⑦ コーヒーは嗜《し》**コウ**品《ひん》だ。
⑧ 模《も》**ケイ**飛行機《ひこうき》。
⑨ 休まず聴《ちょう》**コウ**する。
⑩ 原料を**ユ**入《にゅう》する。

⑪ 主《しゅ》**クン**のために尽《つ》くす。
⑫ 隣国《りんこく》と**ユウ**好関係《こうかんけい》を保つ。
⑬ **シ**面楚歌《めんそか》。
⑭ 暗《あん》**コク**の世界。
⑮ 城《しろ》を**キズ**く。
⑯ 決勝戦で**ヤブ**れる。
⑰ 日進《にっしん》**ゲッ**歩《ぽ》の世の中。
⑱ 一《いっ》**コ**建《だ》ての家。
⑲ 警《けい》**テキ**を鳴らせ。
⑳ 門に表《ひょう》**サツ**を出す。

次の文章を声に出してできる限り早く二回読みましょう。

開始時刻　分　秒

草枕《くさまくら》

夏目漱石《なつめそうせき》

山路《やまみち》を登《のぼ》りながら、こう考《かんが》えた。

智《ち》に働《はたら》けば角《かど》が立《た》つ。情《じょう》に棹《さお》させば流《なが》される。意地《いじ》を通《とお》せば窮屈《きゅうくつ》だ。とかくに人《ひと》の世《よ》は住《す》みにくい。

住《す》みにくさが高《こう》じると、安《やす》い所《ところ》へ引《ひ》き越《こ》したくなる。どこへ越《こ》しても住《す》みにくいと悟《さと》った時《とき》、詩《し》が生《うま》れて、画《え》ができる。

人《ひと》の世《よ》を作《つく》ったものは神《かみ》でもなければ鬼《おに》でもない。やはり向《むこ》う三軒両隣《さんげんりょうどな》りにちらちらする唯《ただ》の人《ひと》である。唯《ただ》の人《ひと》が作《つく》った人《ひと》の世《よ》が住《す》みにくいからとて、越《こ》す国《くに》はあるまい。あれば人《ひと》でなしの国《くに》へ行《ゆ》くばかりだ。人《ひと》でなしの国《くに》は人《ひと》の世《よ》よりもなお住《す》みにくかろう。

越《こ》すことのならぬ世《よ》が住《す》みにくければ、住《す》みにくい所《ところ》をどれほどか寛容《くつろげ》て、束《つか》の間《ま》の命《いのち》を、束《つか》の間《ま》でも住《す》みよくせねばならぬ。

終了時刻　分　秒　所要時間　分　秒＝①　秒　654音÷①　秒＝　音／秒

第17日 漢字の書き取り

月　日

正答率　/20

● 次の――線のカタカナを漢字になおしましょう。

① **ム**用《よう》の長物《ちょうぶつ》。 ❹

② **カイ**画《が》を鑑賞《かんしょう》する。 ❷

③ 実行《じっこう》**カ**能《のう》な計画。 ❺

④ 熱《ねっ》**タイ**植物《しょくぶつ》。 ❹

⑤ 文《ぶん》**ブ**両道《りょうどう》。 ❺

⑥ **ハコ**入《い》り娘《むすめ》。 ❸

⑦ 内閣《ないかく》の**ソウ**辞職《じしょく》。 ❺

⑧ 子弟を**イク**成《せい》する。 ❸

⑨ 文章を**コウ**閲《えつ》する。 ❶

⑩ 芸術について論《ろん》**ソウ**する。 ❹

⑪ **サン**岳救助隊《がくきゅうじょたい》。 ❶

⑫ 経費を**リュウ**用《よう》する。 ❸

⑬ 病《びょう》**ソウ**を取《と》り除《のぞ》く。 ❹

⑭ 学芸会で**ドク**唱《しょう》する。 ❺

⑮ 一日千《いちじつせん》**シュウ**の思い。 ❷

⑯ 活性《かっせい》**タン**は脱臭能力《だっしゅうのうりょく》がある。 ❸

⑰ 一《いっ》**ピツ**啓上《けいじょう》。 ❸

⑱ バスの**テイ**留所《りゅうじょ》。 ❹

⑲ 一石二《いっせきに》**チョウ**。 ❷

⑳ 資金を**タイ**与《よ》する。 ❺

次の文章を声に出してできる限り早く二回読みましょう。

開始時刻　分　秒

富岳百景《ふがくひゃっけい》

太宰《だざい》 治《おさむ》

富士《ふじ》の頂角《ちょうかく》、広重《ひろしげ》の富士《ふじ》は八十五度《はちじゅうごど》、文晁《ぶんちょう》の富士《ふじ》も八《はち》十四度《じゅうよんど》くらい、けれども、陸軍《りくぐん》の実測図《じっそくず》によって東西及《とうざいおよび》南北《なんぼく》に断面図《だんめんず》を作《つく》ってみると、東西縦断《とうざいじゅうだん》は頂角《ちょうかく》、百二十《ひゃくにじゅう》四度《よんど》となり、南北《なんぼく》は百十七度《ひゃくじゅうななど》である。広重《ひろしげ》、文晁《ぶんちょう》に限《かぎ》らず、たいていの絵《え》の富士《ふじ》は、鋭角《えいかく》である。いただきが、細《ほそ》く、高《たか》く、華奢《きゃしゃ》である。北斎《ほくさい》にいたっては、その頂角《ちょうかく》、ほとんど三十度《さんじゅうど》くらい、エッフェル鉄塔《てっとう》のような富士《ふじ》をさえ描《えが》いている。けれども、実際《じっさい》の富士《ふじ》は、鈍角《どんかく》も鈍角《どんかく》、のろくさと拡《ひろ》がり、東西《とうざい》、百二十四度《ひゃくにじゅうよんど》、南北《なんぼく》は百十七度《ひゃくじゅうななど》、決《けっ》して、秀抜《しゅうばつ》の、すらと高《たか》い山《やま》ではない。たとえば私《わたし》が、印度《インド》かどこかの国《くに》から、突然《とつぜん》、鷲《わし》にさらわれ、すとんと日本《にほん》の沼津《ぬまづ》あたりの海岸《かいがん》に落《お》とされて、ふと、この山《やま》を見《み》つけても、そんなに驚嘆《きょうたん》しないだろう。

終了時刻　分　秒　所要時間　分　秒＝①　秒　758音÷①　秒＝　音／秒

第18日 漢字の書き取り

月　日

正答率　/20

● 次の——線のカタカナを漢字になおしましょう。

① 客船が**ミナト**に入る。 ❸

② 自慢《じまん》できる特《とく》**ギ**。 ❺

③ 姉は**ラク**天的《てんてき》だ。 ❷

④ 意気《いき》**トウ**合《ごう》する。 ❸

⑤ 夏服に**コロモ**替《が》えする。 ❹

⑥ 弾《だん》**ガン**ライナーを打つ。 ❷

⑦ 多くの国と**ボウ**易《えき》をする。 ❺

⑧ 健《けん》**コウ**を保つ。 ❹

⑨ 費用を**サン**出《しゅつ》する。 ❷

⑩ **キュウ**死《し》に一生を得る。 ❶

⑪ 逆《ぎゃっ》**キョウ**に耐《た》える。 ❺

⑫ 葉の**ミドリ**が濃《こ》くなる。 ❸

⑬ **マイ**度《ど》ありがとうございます。 ❷

⑭ 筆《ひっ》**ゼツ**に尽《つ》くし難《がた》い。 ❺

⑮ 社長の**ソッ**近《きん》。 ❹

⑯ 掲示《けいじ》**バン**を見る。 ❸

⑰ **ウジ**より育ち。 ❹

⑱ 宣戦《せんせん》**フ**告《こく》。 ❺

⑲ 断《だん》**チョウ**の思い。 ❹

⑳ ごみを**ク**別《べつ》する。 ❸

次の文章を声に出してできる限り早く二回読みましょう。

開始時刻　　分　　秒

風《かぜ》の又三郎《またさぶろう》

宮沢賢治《みやざわけんじ》

どっどど　どどうど　どどうど　どどう
青《あお》いくるみも吹《ふ》きとばせ
すっぱいかりんも吹《ふ》きとばせ
どっどど　どどうど　どどうど　どどう

谷川《たにがわ》の岸《きし》に小《ちい》さな学校《がっこう》がありました。

教室《きょうしつ》はたった一《ひと》つでしたが、生徒《せいと》は三年生《さんねんせい》がないだけで、あとは一年《いちねん》から六年《ろくねん》までみんなありました。運動場《うんどうじょう》もテニスコートのくらいでしたが、すぐうしろは栗《くり》の木《き》のあるきれいな草《くさ》の山《やま》でしたし、運動場《うんどうじょう》の隅《すみ》にはごぼごぼつめたい水《みず》を噴《ふ》く岩穴《いわあな》もあったのです。

さわやかな九《く》月《がつ》一日《ついたち》の朝《あさ》でした。青《あお》ぞらで風《かぜ》がどうと鳴《な》り、日光《にっこう》は運動場《うんどうじょう》いっぱいでした。

終了時刻　　分　　秒　所要時間　　分　　秒＝①　　秒　540音÷①　　秒＝　　音／秒

第19日 漢字の書き取り

月　日

正答率　／20

● 次の――線のカタカナを漢字になおしましょう。

① 右《う》往《おう》**サ**往《おう》して動き回る。 ❶

② **アッ**倒的《とうてき》な優位性《ゆういせい》。 ❺

③ 欠《けっ》**セキ**届《とどけ》を出す。 ❹

④ 異《い》口《く》**ドウ**音《おん》に賛成した。 ❷

⑤ 知《ち》識《しき》**カイ**級《きゅう》。 ❸

⑥ 川の近くの集《しゅう》**ラク**。 ❸

⑦ 絵の具を**マ**ぜる。 ❺

⑧ 古《こ》**キン**和《わ》歌《か》集《しゅう》。 ❷

⑨ 新《しん》**マイ**が出回る季節。 ❷

⑩ 武《ぶ》**ユウ**伝《でん》を語る。 ❹

⑪ 形勢が逆《ぎゃく》**テン**する。 ❸

⑫ 無《む》我《が》**ム**中《ちゅう》。 ❺

⑬ 社員各《しゃいんかく》**イ**に告げる。 ❹

⑭ 琵《び》琶《わ》**コ**は大きい。 ❸

⑮ 横《おう》**ボウ**な態度。 ❺

⑯ らくだに乗った**タイ**商《しょう》の列。 ❹

⑰ 映《えい》画《が》の黄《おう》**ゴン**時代。 ❶

⑱ 妹は**サイ**媛《えん》だ。 ❷

⑲ 文《ぶん》化《か》勲《くん》**ショウ**。 ❸

⑳ **フン**骨砕身《こっさいしん》。 ❹

次の文章を声に出してできる限り早く二回読みましょう。

開始時刻□分□秒

鼻《はな》

芥川龍之介《あくたがわりゅうのすけ》

　禅智内供《ぜんちないぐ》の鼻《はな》と云《い》えば、池《いけ》の尾《お》で知《し》らない者《もの》はない。長《なが》さは五六寸《ごろくすん》あって、上唇《うわくちびる》の上《うえ》から顋《あご》の下《した》まで下《さが》っている。形《かたち》は元《もと》も先《さき》も同《おな》じように太《ふと》い。云《い》わば、細長《ほそなが》い腸詰《ちょうづ》めのような物《もの》が、ぶらりと顔《かお》のまん中《なか》からぶら下《さが》っているのである。

　五十歳《ごじっさい》を越《こ》えた内供《ないぐ》は、沙弥《しゃみ》の昔《むかし》から内道場供奉《ないどうじょうぐぶ》の職《しょく》に陞《のぼ》った今日《こんにち》まで、内心《ないしん》では始終《しじゅう》この鼻《はな》を苦《く》に病《や》んで来《き》た。勿論表面《もちろんひょうめん》では、今《いま》でもさほど気《き》にならないような顔《かお》をしてすましている。これは専念《せんねん》に当来《とうらい》の浄土《じょうど》を渇仰《かつごう》すべき僧侶《そうりょ》の身《み》で、鼻《はな》の心配《しんぱい》をするのが悪《わる》いと思《おも》ったからばかりではない。それより寧《むしろ》、自分《じぶん》で鼻《はな》を気《き》にしていると云《い》う事《こと》を、人《ひと》に知《し》られるのが嫌《いや》だったからである。内《ない》供《ぐ》は日常《にちじょう》の談話《だんわ》の中《なか》に、鼻《はな》と云《い》う語《ご》が出《で》て来《く》るのを何《なに》よりも惧《おそ》れていた。

終了時刻□分□秒　所要時間□分□秒＝①□秒　752音÷①□秒＝□音／秒

第20日 漢字の書き取り

月　日

正答率　/20

● 次の――線のカタカナを漢字になおしましょう。

① **コウ**績《せき》をたたえる。

② 将来への布《ふ》**セキ**。

③ 写真の現《げん》**ゾウ**をする。

④ 抜《ぬ》き足《あし》、**サ**し足《あし》。

⑤ 汽車の窓《まど》から**エキ**弁《べん》を買う。

⑥ 一人で**ハネ**を伸《の》ばす。

⑦ 爆《ばく》**チク**を鳴らす。

⑧ 校長先生が式《しき》**ジ**を述べる。

⑨ 青《せい》**ドウ**器《き》時《じ》代《だい》。

⑩ 乱《らん》**チョウ**本《ぼん》は取《と》り替《か》えます。

⑪ 案《あん》**ケン**を検《けん》討《とう》する。

⑫ **リョ**客《かく》機《き》。

⑬ 馬《ば》耳《じ》**トウ**風《ふう》。

⑭ 江戸時代の**ケン**造《ぞう》物《ぶつ》。

⑮ 円《えん》**チュウ**の体積を量る。

⑯ 物事の是《ぜ》**ヒ**を問う。

⑰ 近《きん》視《し》の**ド**が進む。

⑱ **カ**値《ち》判《はん》断《だん》。

⑲ 不《ふ》**ゲン**実《じっ》行《こう》。

⑳ **カガミ**餅《もち》を供《そな》える。

前頭葉機能検査 ……………………… 月 日

Ⅰ カウンティングテスト

1から120までを声に出してできるだけ早く数えます。数え終わるまでにかかった時間を計りましょう。

秒

Ⅱ 単語記憶テスト

まず、次のことばを、**2分間**で、できるだけたくさん覚えます。

うわぎ	しあい	とりい	こども	ゆびわ	きいろ
むすこ	きけん	つばき	ようそ	すがた	はやし
ひびき	だるま	みかた	あなた	れんが	どうわ
におい	ろうか	きほん	へんじ	このは	おでこ
いはん	ぜんご	れきし	けもの	まほう	しぜん

覚えたことばを、裏《うら》のページの解答用紙にできるだけたくさん書きます。
2分間で、覚えたことばを、いくつ思い出すことができますか？

Ⅱ 覚えたことばを、**2分間**で□に書きましょう。

単語記憶テスト解答欄

正答数　　語

Ⅲ 別冊7ページの「**ストループテスト**」も忘れずに行いましょう。

次の文章を声に出してできる限り早く二回読みましょう。

開始時刻　　分　　秒

雁《がん》

森《もり》 鷗外《おうがい》

　古《ふる》い話《はなし》である。僕《ぼく》は偶然《ぐうぜん》それが明治《めいじ》十三年《じゅうさんねん》の出来事《できごと》だということを記憶《きおく》している。どうして年《とし》をはっきり覚《おぼ》えているかというと、その頃《ころ》僕《ぼく》は東京大学《とうきょうだいがく》の鉄門《てつもん》の真向《まむか》いにあった、上条《かみじょう》という下宿屋《げしゅくや》に、この話《はなし》の主人公《しゅじんこう》と壁一《かべひと》つ隔《へだ》てた隣同士《となりどうし》になって住《す》んでいたからである。その上《かみ》条《じょう》が明治《めい じ》十四年《じゅうよねん》に自火《じか》で焼《や》けた時《とき》、僕《ぼく》も焼《や》け出《だ》された一《いち》人《にん》であった。その火事《かじ》のあった前年《ぜんねん》の出来事《できごと》だということを、僕《ぼく》は覚《おぼ》えているからである。

　上条《かみじょう》に下宿《げしゅく》しているものは大抵《たいてい》医《い》科《か》大学《だいがく》の学生《がくせい》ばかりで、その外《ほか》は大学《だいがく》の附属病院《ふぞくびょういん》に通《かよ》う患者《かんじゃ》なんぞであった。大抵《たいてい》どの下宿屋《げしゅくや》にも特別《とくべつ》に幅《はば》を利《き》かせている客《きゃく》があるもので、そういう客《きゃく》は第一《だいいち》金廻《かねまわ》りが好《よ》く、小《こ》気《ぎ》が利《き》いていて、お上《かみ》さんが箱火鉢《はこひばち》を控《ひか》えて据《す》わっている前《まえ》の廊下《ろうか》を通《とお》るときは、きっと声《こえ》を掛《か》ける。

終了時刻　　分　　秒　所要時間　　分　　秒＝①　　秒　800音÷①　　秒＝　　音／秒

第21日 漢字の書き取り

月　日

正答率　/20

● 次の――線のカタカナを漢字になおしましょう。

① つばめは**エキ**鳥《ちょう》だ。 ❺

② **ケン**庁所在地《ちょうしょざいち》。 ❸

③ 安住の**チ**。 ❷

④ 水飴《みずあめ》は**バク**芽《が》糖《とう》から作る。 ❷

⑤ **メン**密《みつ》な計画。 ❺

⑥ 疲《ひ》**ロウ**困憊《こんぱい》。 ❹

⑦ **モク**標《ひょう》を定める。 ❶

⑧ ハンドルから手を**ハナ**す。 ❸

⑨ 有《ゆう》**ドク**物質《ぶっしつ》。 ❹

⑩ **シン**林伐採《りんばっさい》。 ❶

⑪ **チョウ**和《わ》した色。 ❸

⑫ 先生の教《きょう》**クン**を守る。 ❹

⑬ 責《せき》**ニン**ある行動。 ❺

⑭ 公園の**ユウ**歩道《ほどう》。 ❸

⑮ 景気が**カイ**復《ふく》する。 ❷

⑯ 音《おん》**シン**不通《ふつう》。 ❹

⑰ **セン**差万別《さばんべつ》。 ❶

⑱ 彼《ひ》**ガン**に墓参りをする。 ❸

⑲ 幸せの王《おう》**ジ**。 ❶

⑳ 文《もん》**ク**なしの出来栄え。 ❺

次の文章を声に出してできる限り早く二回読みましょう。

開始時刻　分　秒

桜《さくら》の実《み》の熟《じゅく》する時《とき》

島崎藤村《しまざきとうそん》

日陰《ひかげ》になった坂《さか》に添《そ》うて、岸本捨吉《きしもとすてきち》は品川《しながわ》の停車場手《ていしゃじょうて》前《まえ》から高輪《たかなわ》へ通《かよ》う抜《ぬ》け道《みち》を上《のぼ》って行《い》った。客《きゃく》を載《の》せた一《いち》台《だい》の俥《くるま》が坂《さか》の下《した》の方《ほう》から同《おな》じように上《のぼ》って来《く》るけはいがした。石《いし》ころに触《ふ》れる車輪《しゃりん》の音《おと》をさせて。

思《おも》わず捨吉《すてきち》は振《ふ》り返《かえ》って見《み》て、

「お繁《しげ》さんじゃないか。」

と自分《じぶん》で自分《じぶん》に言《い》った。

一目《ひとめ》見《み》たばかりですぐにそれがさとられた。過《す》ぐる一《いち》年《ねん》あまりの間《あいだ》、なるべく捨吉《すてきち》の方《ほう》から遠《とお》ざかるようにし、会《あ》わないことを望《のぞ》んでいた人《ひと》だ。その人《ひと》が俥《くるま》で近《ちか》づいた。避《さ》けよう避《さ》けようとしていたある瞬間《しゅんかん》が思《おも》いがけなくもやって来《き》たかのように。

ある終局《しゅうきょく》を待《ま》ち受《う》けるにも等《ひと》しい胸《むね》のわくわくすることで、捨吉《すてきち》は徐々《そろそろ》と自分《じぶん》の方《ほう》へ近《ちか》づいて来《く》る俥《くるま》の音《おと》を聞《き》いた。

終了時刻　分　秒　所要時間　分　秒＝①　秒　716音÷①　秒＝　音／秒

第22日 漢字の書き取り

月　日

正答率 /20

● 次の――線のカタカナを漢字になおしましょう。

① 家庭菜《かていさい》**エン**。 ❷

② 真相《しんそう》を徹《てっ》**テイ**的《てき》に調査する。 ❹

③ 空模《そらも》**ヨウ**があやしい。 ❸

④ 書籍《しょせき》の**ヘン**集《しゅう》。 ❺

⑤ 今日の日《にっ》**カ**を果たす。 ❹

⑥ 時計の**ビョウ**針《しん》。 ❸

⑦ **イ**心伝心《しんでんしん》。 ❹

⑧ 信玄《しんげん》と謙信《けんしん》は好《こう》**テキ**手《しゅ》だ。 ❺

⑨ 駐《ちゅう》**シャ**禁止《きんし》。 ❶

⑩ **クニ**破《やぶ》れて山河《さんが》在り。 ❷

⑪ 中《ちゅう》**オウ**アジア。 ❸

⑫ 加《か》**ゲン**乗除《じょうじょ》。 ❺

⑬ 灰《はい》**ザラ**を片《かた》づける。 ❸

⑭ 未《み》**カン**の大器。 ❹

⑮ **セキ**雪《せっ》三十センチ。 ❹

⑯ 長《ちょう》**ケイ**は還暦《かんれき》だ。 ❷

⑰ 父の**ショウ**年《ねん》の頃《ころ》。 ❷

⑱ **タイ**願成就《がんじょうじゅ》。 ❶

⑲ 店に屋《や》**ゴウ**を付ける。 ❸

⑳ **ケッ**陥住宅《かんじゅうたく》。 ❹

次の文章を声に出してできる限り早く一回読みましょう。

開始時刻　　分　　秒

生《う》まれ出《い》づる悩《なや》み

有島武郎《ありしまたけお》

私《わたし》は自分《じぶん》の仕事《しごと》を神聖《しんせい》なものにしようとしていた。ねじ曲《ま》がろうとする自分《じぶん》の心《こころ》をひっぱたいて、できるだけ伸《の》び伸《の》びした真直《まっすぐ》な明《あか》るい世界《せかい》に出《で》て、そこに自分《じぶん》の芸術《げいじゅつ》の宮殿《きゅうでん》を築《きず》き上《あ》げようともがいていた。それは私《わたし》にとってどれほど喜《よろこ》ばしいことだったろう。と同時《どうじ》にどれほど苦《くる》しいことだったろう。私《わたし》の心《こころ》の奥底《おくそこ》には確《たし》かに——すべての人《ひと》の心《こころ》の奥底《おくそこ》にあるのと同様《どうよう》な——火《ひ》が燃《も》えてはいたけれども、その火《ひ》を燻《いぶ》らそうとする塵芥《ちりあくた》の堆積《たいせき》はまたひどいものだった。かき除《の》けてもかき除《の》けても容易《ようい》に火《ひ》の燃《も》え立《た》ってこないような瞬間《しゅんかん》には私《わたし》はみじめだった。私《わたし》は、机《つくえ》の向《む》こうに開《ひら》かれた窓《まど》から、冬《ふゆ》が来《き》て雪《ゆき》に埋《う》もれて行《ゆ》く一面《いちめん》の畑《はたけ》を見渡《みわた》しながら、滞《とどこお》りがちな筆《ふで》を叱《しか》りつけ叱《しか》りつけ運《はこ》ばそうとしていた。

終了時刻　　分　　秒　所要時間　　分　　秒＝①　　秒　756音÷①　　秒＝　　音／秒

漢字の書き取り

月　日

正答率　/20

● 次の——線のカタカナを漢字になおしましょう。

① アメリカにエイ住《じゅう》する。 ❺

② 資《し》サンを蓄《たくわ》える。 ❹

③ 自《じ》給《きゅう》自《じ》ソク。 ❶

④ 正月二日の初《はつ》ニ。 ❸

⑤ 航空機の離着《りちゃく》リク。 ❹

⑥ ユミと矢。 ❷

⑦ 火星の大接《だいせっ》キン。 ❷

⑧ ツミと罰《ばつ》。 ❺

⑨ タン気《き》は損《そん》気《き》。 ❸

⑩ 節分の次の日は立《りっ》シュンだ。 ❷

⑪ 策《さく》リャクをめぐらす。 ❺

⑫ 新年の抱《ほう》フを述べる。 ❸

⑬ 火《か》キュウの用事。 ❸

⑭ 人事をサッ新《しん》する。 ❹

⑮ 放《ほう》チ自転車《じてんしゃ》。 ❹

⑯ 画竜《がりょう》テン睛《せい》を欠く。 ❷

⑰ 鮎《あゆ》の解《かい》キン。 ❺

⑱ 砂浜《すなはま》でカイ殻《がら》を拾う。 ❶

⑲ 雨で中止とはザン念《ねん》だ。 ❹

⑳ 占《せん》セイ術《じゅつ》。 ❷

第24日

□月□日

次の文章を声に出してできる限り早く二回読みましょう。

開始時刻 □分□秒

檸檬《れもん》

梶井基次郎《かじいもとじろう》

　えたいの知《し》れない不吉《ふきつ》な塊《かたまり》が私《わたし》の心《こころ》を始終圧《しじゅうおさ》えつけていた。焦燥《しょうそう》と云《い》おうか、嫌悪《けんお》と云《い》おうか――酒《さけ》を飲《の》んだあとに宿酔《ふつかよい》があるように、酒《さけ》を毎日飲《まいにちの》んでいると宿酔《ふつかよい》に相当《そうとう》した時期《じき》がやって来《く》る。それが来《き》たのだ。これはちょっといけなかった。結果《けっか》した肺尖《はいせん》カタルや神経衰弱《しんけいすいじゃく》がいけないのではない。また脊《せ》を焼《や》くような借金《しゃっきん》などがいけないのではない。いけないのはその不吉《ふきつ》な塊《かたまり》だ。以前《いぜん》私《わたし》を喜《よろこ》ばせたどんな美《うつく》しい音楽《おんがく》も、どんな美《うつく》しい詩《し》の一《いっ》節《せつ》も辛抱《しんぼう》がならなくなった。蓄音器《ちくおんき》を聴《き》かせて貰《もら》いにわざわざ出《で》かけて行《い》っても、最初《さいしょ》の二三小節《にさんしょうせつ》で不意《ふい》に立《た》ち上《あが》ってしまいたくなる。何《なに》かが私《わたし》を居堪《いたたま》らずさせるのだ。それで始終私《しじゅうわたし》は街《まち》から街《まち》を浮浪《ふろう》し続《つづ》けていた。

　何故《なぜ》だかその頃私《ころわたし》は見《み》すぼらしくて美《うつく》しいものに強《つよ》くひきつけられたのを覚《おぼ》えている。

終了時刻 □分□秒　所要時間 □分□秒＝□①秒　796音÷□①秒＝□音／秒

第24日 漢字の書き取り

月　日

正答率　/20

● 次の——線のカタカナを漢字になおしましょう。

① セキ道直下《どうちょっか》。❶

② 甘《あま》ズっぱい味。❺

③ 町の青年《せいねん》ダン。❺

④ ゼン代未聞《だいみもん》の出来事。❷

⑤ 従《じゅう》ジュンな犬。❹

⑥ 子《し》ソン繁栄《はんえい》。❹

⑦ 商品を陳《ちん》レツする。❸

⑧ 太《たい》コの昔。❷

⑨ 砂漠《さばく》はカン暖《だん》の差が激《はげ》しい。❸

⑩ エイ気《き》を養う。❹

⑪ 反対する理《り》ユウを述べる。❸

⑫ 双《すご》ロクで遊ぶ。❶

⑬ 徒《と》ホで十分かかる。❷

⑭ 不《ふ》ネン性《せい》のごみ。❺

⑮ 価値《かち》カンが変わる。❹

⑯ ヒッ死《し》の努力をする。❹

⑰ 映画《えいが》のヨ告編《こくへん》。❸

⑱ 絵画をバイ買《ばい》する。❷

⑲ 両親に感《かん》シャする。❺

⑳ 転《てん》キョ葉書《はがき》を出す。❺

次の文章を声に出してできる限り早く一回読みましょう。

開始時刻　　分　　秒

日輪《にちりん》

横光利一《よこみつりいち》

乙女《おとめ》たちの一団《いちだん》は水甕《みずがめ》を頭《あたま》に載《の》せて、小丘《こやま》の中腹《ちゅうふく》にある泉《いずみ》の傍《かたわら》から、唄《うた》いながら合歓木《ねむ》の林《はやし》の中《なか》に隠《かく》れて行《い》った。後《あと》の泉《いずみ》を包《つつ》んだ岩《いわ》の上《うえ》には、まだ凋《しお》れぬ太藺《ふとい》の花《はな》が、水甕《みずがめ》の破片《はへん》とともに踏《ふ》みにじられて残《のこ》っていた。そうして西《にし》に傾《かたむ》きかかった太陽《たいよう》は、この小丘《こやま》の裾遠《すそとお》く拡《ひろが》った有明《ありあけ》の入江《いりえ》の上《うえ》に、長《なが》く曲折《きょくせつ》しつつ遥《はる》か水平線《すいへいせん》の両端《りょうはし》に消《き》え入《い》る白《しろ》い砂丘《さきゅう》の上《うえ》に今《いま》は力《ちから》なくその光《ひかり》を投《な》げていた。乙女《おとめ》たちの合唱《がっしょう》は華《はな》やかな酒楽《さかほがい》の歌《うた》に変《かわ》って来《き》た。そうして、林《はやし》をぬけると再《ふたた》び、人家《じんか》を包《つつ》む円《まろ》やかな濃緑色《のうりょくしょく》の団塊《かたまり》となった森《もり》の中《なか》に吸《す》われて行《い》った。眼界《がんかい》の風物《ふうぶつ》、何《なに》一《ひと》つとして動《うご》くものは見《み》えなかった。

そのとき、今《いま》まで、泉《いずみ》の上《うえ》の小丘《こやま》を蔽《おお》って静《しず》まっていた萱《かや》の穂波《ほなみ》の一点《いってん》が二《ふた》つに割《わ》れてざわめいた。

終了時刻　　分　　秒　所要時間　　分　　秒＝①　　秒　796音÷①　　秒＝　　音／秒

第25日 漢字の書き取り

月　日

正答率　/20

● 次の――線のカタカナを漢字になおしましょう。

① 台風で遊《ゆう》エイ禁《きん》止《し》になる。 ❸

② ゲン在《ざい》進《しん》行《こう》形《けい》。 ❺

③ 国《こく》サイ連《れん》合《ごう》。 ❺

④ 正《しょう》シン正《しょう》銘《めい》。 ❸

⑤ デン光《こう》石《せっ》火《か》の早《はや》業《わざ》。 ❷

⑥ 他《た》リキ本《ほん》願《がん》。 ❶

⑦ 学校の制《せい》フク。 ❸

⑧ 主《しゅ》権《けん》在《ざい》ミン。 ❹

⑨ 皇《こう》シツご一家。 ❷

⑩ タン独《どく》行《こう》動《どう》。 ❹

⑪ ヒャク戦《せん》錬《れん》磨《ま》。 ❶

⑫ 会社を早《そう》タイする。 ❺

⑬ シ法《ほう》権《けん》は裁《さい》判《ばん》所《しょ》に属する。 ❹

⑭ 地《じ》震《しん》の予《よ》チは難《むずか》しい。 ❷

⑮ 父は勤《きん》ベン家《か》だ。 ❸

⑯ ハク士《し》論《ろん》文《ぶん》を書く。 ❹

⑰ 一面のギン世《せ》界《かい》。 ❸

⑱ ジャク肉《にく》強《きょう》食《しょく》の世界。 ❷

⑲ 納《のう》税《ぜい》は国民の義《ぎ》ムだ。 ❺

⑳ 需《じゅ》要《よう》と供《きょう》キュウ。 ❹

第5週 前頭葉機能検査 …………………… 月 日

Ⅰ カウンティングテスト

1から120までを声に出してできるだけ早く数えます。数え終わるまでにかかった時間を計りましょう。

秒

Ⅱ 単語記憶テスト

まず、次のことばを、**2分間**で、できるだけたくさん覚えます。

ゆうき	ひよこ	いびき	しおり	にがて	ひみつ
ごはん	ずかん	ひかげ	かえる	とけい	ことり
たわし	れんげ	うわさ	べんり	きげん	ようす
ひるね	つばさ	まゆげ	おてら	すばこ	むすめ
けやき	せんぞ	よあけ	みかん	あひる	にもつ

覚えたことばを、裏《うら》のページの解答用紙にできるだけたくさん書きます。
2分間で、覚えたことばを、いくつ思い出すことができますか？

Ⅱ 覚えたことばを、**2分間**で ☐ に書きましょう。

単語記憶テスト解答欄

正答数　　語

Ⅲ 別冊8ページの「**ストループテスト**」も忘れずに行いましょう。

次の文章を声に出してできる限り早く二回読みましょう。

開始時刻 □分□秒

鸚鵡《おうむ》の思《おも》い出《で》

牧野信一《まきのしんいち》

「いくら熱心《ねっしん》になったって無駄《むだ》だわよ。――シン。鸚鵡《おうむ》だからって必《かなら》ず言葉《ことば》を覚《おぼ》えるときまってはいまいし。」

アメリカ娘《むすめ》のＦ《エフ》は、そう朗《ほが》らかに笑《わら》って私《わたし》の肩《かた》を叩《たた》いた。足音《あしおと》を忍《しの》ばせて彼女《かのじょ》は私《わたし》の背後《はいご》に近寄《ちかよ》ったのだろう、声《こえ》で、私《わたし》は初《はじ》めてＦ《エフ》に気《き》づいて振《ふ》り反《かえ》った。

「僕《ぼく》は何《なに》もグリップに言葉《ことば》を教《おし》えようとしていたんじゃないさ。」

グリップと称《とな》うのはＦ《エフ》が飼《か》っている此《こ》の鸚鵡《おうむ》の名前《なまえ》である。

「お前《まえ》はまア何《なん》という嘘《うそ》つきだろう！　教《おし》えようとなんてしていないッて？　妾《わらわ》はさっきからちゃんと鍵穴《かぎあな》から覗《のぞ》いて見《み》ていたんだよ。お前《まえ》はグリップの前《まえ》で、指《ゆび》を出《だ》したり、顔《かお》を顰《ひそ》めたり、独《ひと》り言《ごと》を呟《つぶや》いたり、疳癪《かんしゃく》を起《おこ》して二《ふた》ツの拳《こぶし》を震《ふる》わせたりしていたじゃないか！　今日《きょう》ばかしじゃない。」

終了時刻 □分□秒　所要時間 □分□秒＝□秒①　680音÷□秒①＝□音／秒

第26日 漢字の書き取り

月　日

正答率　/20

● 次の――線のカタカナを漢字になおしましょう。

① 古い制度を**ゼン**廃《ぱい》する。 ❸

② 蟻《あり》の大《たい》**グン**。 ❺

③ 弟の絵が入《にゅう》**セン**する。 ❹

④ 懇《こん》**シン**会《かい》。 ❷

⑤ 一《いっ》**シ**乱《みだ》れず行進する。 ❶

⑥ 所得が倍《ばい》**ゾウ**した。 ❺

⑦ 急な**サカ**道《みち》を上る。 ❸

⑧ 見張《みは》り**バン**をする。 ❷

⑨ 多くの職業を遍《へん》**レキ**した。 ❹

⑩ 薄《はく》**ヒョウ**を踏《ふ》むようだ。 ❸

⑪ **イン**果《が》関係《かんけい》。 ❺

⑫ 詳《しょう》**サイ**に説明する。 ❷

⑬ 礼儀《れいぎ》正しい紳《しん》**シ**。 ❹

⑭ **テツ**壁《ぺき》の要塞《ようさい》。 ❸

⑮ 五《ご》**リ**霧中《むちゅう》。 ❷

⑯ 丈《じょう》**ブ**な体。 ❹

⑰ 先《せん》**ゾ**代々《だいだい》の墓。 ❺

⑱ **シュウ**儀《ぎ》をはずむ。 ❹

⑲ 自《じ》画《が》自《じ》**サン**。 ❺

⑳ 郷《きょう》**ド**芸能《げいのう》。 ❶

第27日　□月□日

次の文章を声に出してできる限り早く一回読みましょう。

開始時刻　□分□秒

野菊《のぎく》の墓《はか》

伊藤左千夫《いとうさちお》

後《のち》の月《つき》という時分《じぶん》が来《く》ると、どうも思《おも》わずには居《い》られない。幼《おさな》い訳《わけ》とは思《おも》うが何分《なにぶん》にも忘《わす》れることが出来《でき》ない。もう十年余《じゅうねんよ》も過去《すぎさ》った昔《むかし》のことであるから、細《こま》かい事実《じじつ》は多《おお》くは覚《おぼ》えて居《い》ないけれど、心持《こころもち》だけは今猶《いまなお》昨日《きのう》の如《ごと》く、其時《そのとき》の事《こと》を考《かんが》えてると、全《まった》く当時《とうじ》の心持《こころもち》に立《た》ち返《かえ》って、涙《なみだ》が留《と》めどなく湧《わ》くのである。悲《かな》しくもあり楽《たの》しくもありというような状態《ありさま》で、忘《わす》れようと思《おも》う事《こと》もないではないが、寧《むし》ろ繰返《くりかえ》し繰返《くりかえ》し、考《かんが》えては、夢幻的《むげんてき》の興味《きょうみ》を貪《むさぼ》って居《い》る事《こと》が多《おお》い。そんな訳《わけ》から一寸物《ちょっともの》に書《か》いて置《お》こうかという気《き》になったのである。

僕《ぼく》の家《いえ》というは、松戸《まつど》から二里《にり》許《ばか》り下《くだ》って、矢切《やぎり》の渡《わたし》を東《ひがし》へ渡《わた》り、小高《こだか》い岡《おか》の上《うえ》でやはり矢切村《やぎりむら》と云《い》ってる所《ところ》。矢切《やぎり》の斎藤《さいとう》と云《い》えば、此界隈《このかいわい》での旧家《きゅうか》で、……（略）

終了時刻　□分□秒　所要時間　□分□秒＝①□秒　766音÷①□秒＝□音／秒

第27日 漢字の書き取り

月　日

正答率　/20

次の——線のカタカナを漢字になおしましょう。

① **イン**料水《りょうすい》。 ❸

② **サイ**難《なん》を避《さ》ける。 ❺

③ 快《かい》**カツ**な返事。 ❷

④ 小学校の課《か》**テイ**を修了《しゅうりょう》する。 ❺

⑤ 委員会を**ソ**織《しき》する。 ❷

⑥ ノートを紛《ふん》**シツ**した。 ❹

⑦ **ハ**車《ぐるま》が狂《くる》う。 ❸

⑧ 大臣の**トウ**弁《べん》を求める。 ❷

⑨ 風《か》邪《ぜ》を**ナオ**す。 ❹

⑩ 永《えい》**ネン**勤続《きんぞく》の表彰《ひょうしょう》を受ける。 ❶

⑪ **メイ**運《うん》が尽《つ》きる。 ❸

⑫ 野《や》**ボウ**を抱《いだ》く。 ❹

⑬ 幾《き》**カ**学《がく》を学ぶ。 ❷

⑭ 特《とっ》**キョ**権《けん》を申請《しんせい》する。 ❺

⑮ 食《しょく》**エン**水《すい》でうがいをする。 ❹

⑯ 薬の効《こう》**カ**があらわれる。 ❹

⑰ **トウ**乳《にゅう》は体にいい。 ❸

⑱ 中《ちゅう》**ジ**炎《えん》をわずらう。 ❶

⑲ 小説の構《こう》**ソウ**を練る。 ❸

⑳ 薬の**フク**作用《さよう》。 ❹

次の文章を声に出してできる限り早く一回読みましょう。

開始時刻　　分　　秒

うず潮《しお》

林《はやし》芙《ふ》美《み》子《こ》

すべてを無視《むし》して、時《とき》が流《なが》れてゆく。

遠《とお》い旅路《たびじ》をゆく昼《ひる》の雲《くも》。

「さあ、お馬《うま》に乗《の》って、——おや、何故《なぜ》怖《こわ》いの？　悠《ゆう》ちゃんってば、お馬《うま》に乗《の》るのよ」

大丸百貨店《だいまるひゃっかてん》の屋上《おくじょう》。電気仕掛《でんきじか》けの木馬《もくば》が、スイッチがはいると、急《きゅう》に激《はげ》しい音《おと》をたてて震動《しんどう》を始《はじ》めた。かあっと陽《ひ》の照《て》りつける、屋上庭園《おくじょうていえん》の片隅《かたすみ》。四頭《よんとう》のはげちょろけの木馬《もくば》の背中《せなか》に、子供達《こどもたち》がしがみついて興奮《こうふん》している。

「ほら、女《おんな》の子《こ》だって乗《の》ってるじゃないの、男《おとこ》のくせに、悠《ゆう》ちゃんの意気地《いくじ》なしねえ」

千代子《ちよこ》のひざに、しっかりと、両手《りょうて》を巻《ま》きつけて、悠《ゆう》一《いち》は奇形《きけい》な木馬《もくば》の震動《しんどう》に怖《おそ》れをなしている。白《しろ》い紙《かみ》パナマの小《ちい》さい帽子《ぼうし》が薄汚《うすよご》れている。

終了時刻　　分　　秒　所要時間　　分　　秒＝①　　秒　588音÷①　　秒＝　　音／秒

第28日 漢字の書き取り

月　日

正答率　/20

● 次の――線のカタカナを漢字になおしましょう。

① 東北地方は民話の宝《ほう》コだ。

② しばらくカ眠《みん》をとる。

③ 歴史あるジ院《いん》。

④ 適当な措《そ》チを講《こう》じる。

⑤ 捕《ほ》鯨《げい》セン団《だん》。

⑥ 両親は健《けん》ザイです。

⑦ 文化の殿《でん》ドウ。

⑧ エンジンのセイ備《び》をする。

⑨ 徹《てっ》ヤをする。

⑩ ノウある鷹《たか》は爪《つめ》を隠《かく》す。

⑪ 予算のサ定《てい》をする。

⑫ 注文を追《つい》カする。

⑬ 勤《きん》労《ろう》奉《ほう》シ。

⑭ 行動をソク縛《ばく》する。

⑮ ハ瀾《らん》万《ばん》丈《じょう》の生《しょう》涯《がい》。

⑯ 遺《ゆい》言《ごん》状《じょう》に封《ふう》インする。

⑰ ゲ至《し》と冬《とう》至《じ》。

⑱ 景気の低《てい》メイが続く。

⑲ 引用の出《しゅっ》テンを明《めい》示《じ》する。

⑳ 予《よ》キせぬ出来事。

次の文章を声に出してできる限り早く二回読みましょう。

開始時刻　　分　　秒

家霊《かれい》

岡本《おかもと》かの子《こ》

山《やま》の手《て》の高台《たかだい》で電車《でんしゃ》の交叉点《こうさてん》になっている十字《じゅうじ》路《ろ》がある。十字《じゅうじ》路《ろ》の間《あいだ》からまた一筋《ひとすじ》細《ほそ》く岐《わか》れ出《で》て下町《したまち》への谷《たに》に向《む》く坂道《さかみち》がある。坂道《さかみち》の途中《とちゅう》に八幡宮《はちまんぐう》の境内《けいだい》と向《むか》い合《あ》って名物《めいぶつ》のどじょう店《でん》がある。拭《ふ》き磨《みが》いた千本格子《せんぼんごうし》の真中《まんなか》に入口《いりぐち》を開《あ》けて古《ふる》い暖簾《のれん》が懸《か》けてある。暖簾《のれん》にはお家流《いえりゅう》の文字《もじ》で白《しろ》く「いのち」と染《そ》め出《だ》してある。

どじょう、鯰《なまず》、鼈《すっぽん》、河豚《ふぐ》、夏《なつ》はさらし鯨《くじら》――この種《しゅ》の食品《しょくひん》は身体《からだ》の精分《せいぶん》になるということから、昔《むかし》この店《みせ》の創《そう》始者《ししゃ》が素晴《すば》らしい思《おも》い付《つ》きの積《つも》りで店名《てんめい》を「いのち」とつけた。その当時《とうじ》はそれも目新《めあたら》しかったのだろうが、中程《なかほど》の数十年間《すうじゅうねんかん》は極《きわ》めて凡庸《ぼんよう》な文字《もじ》になって誰《だれ》も興味《きょうみ》をひくものはない。ただそれ等《ら》の食品《しょくひん》に就《つい》てこの店《みせ》は独特《どくとく》な料理方《りょうりほう》をするのと、値段《ねだん》が廉《やす》いのとで客《きゃく》はいつも絶《た》えなかった。

終了時刻　　分　　秒　所要時間　　分　　秒＝①　　秒　788音÷①　　秒＝　　音／秒

第29日 漢字の書き取り

月　日

正答率 /20

● 次の――線のカタカナを漢字になおしましょう。

① **エイ**❹ 枯《こ》盛《せい》衰《すい》。

② 事実が歪《わい》**キョク**❸して伝わる。

③ **ガク**❶業《ぎょう》に励《はげ》む。

④ **デン**❹書鳩《しょばと》。

⑤ 事の推《すい》**イ**❺を見守る。

⑥ **カン**❸方《ぽう》薬《やく》を飲む。

⑦ 言語《ごんご》**ドウ**❷断《だん》。

⑧ 身の**ケッ**❺白《ぱく》を証明する。

⑨ 徹《てっ》**トウ**❷徹《てつ》尾《び》反対する。

⑩ **ニッ**❶進月歩《しんげっぽ》に発展《はってん》する。

⑪ 噴火《ふんか》で溶《よう》**ガン**❷が噴《ふ》き出る。

⑫ 自己《じこ》**ケン**❸鑽《さん》に努める。

⑬ **セン**❹薄《ぱく》な人間。

⑭ 万有引力の法《ほう》**ソク**❺。

⑮ 鋭《えい》**リ**❹な刃物《はもの》。

⑯ 趣《しゅ》**ミ**❸を活かした生活。

⑰ 友のために**ベン**❺解《かい》する。

⑱ 名画を鑑《かん》**ショウ**❹する。

⑲ 春らしい**ヨウ**❸気《き》になる。

⑳ 権利《けんり》は会社に帰《き》**ゾク**❺する。

次の文章を声に出してできる限り早く一回読みましょう。

開始時刻　　分　　秒

恩讐《おんしゅう》の彼方《かなた》に

菊池《きくち》　寛《かん》

市《いち》九《く》郎《ろう》は、主人《しゅじん》の切《き》り込《こ》んで来《く》る太刀《たち》を受《う》け損《そん》じて、左《ひだり》の頬《ほほ》から顎《あご》へかけて、微傷《びしょう》ではあるが、一太刀《ひとたち》受《う》けた。自分《じぶん》の罪《つみ》を——たとえ向《む》こうからいどまれたとはいえ、主人《しゅじん》の寵妾《ちょうしょう》と非道《ひどう》な恋《こい》をしたという、自分《じぶん》の致命的《ちめいてき》な罪《つみ》を、意識《いしき》している市九郎《いちくろう》は、主人《しゅじん》の振《ふ》り上《あ》げた太刀《たち》を、必至《ひっし》な刑罰《けいばつ》として、たとえその切先《きっさき》を避《さ》くるに努《つと》むるまでも、それに反抗《はんこう》する心持《こころも》ちは、少《すこ》しも持《も》ってはいなかった。彼《かれ》は、ただこうした自分《じぶん》の迷《まよ》いから、命《いのち》を捨《す》てることが、いかにも惜《お》しまれたので、できるだけは逃《のが》れて見《み》たいと思《おも》っていた。それで、主人《しゅじん》から不義《ふぎ》を言《い》い立《た》てられて斬《き》り付《つ》けられた時《とき》、あり合《あ》わせた燭台《しょくだい》を、早速《さっそく》の獲物《えもの》として主人《しゅじん》の鋭《するど》い太刀先《たちさき》を避《さ》けていた。

終了時刻　　分　　秒　所要時間　　分　　秒＝①　　秒　664音÷①　　秒＝　　音／秒

第30日 漢字の書き取り

月　日

正答率　/20

● 次の――線のカタカナを漢字になおしましょう。

① 東奔《とうほん》**セイ**走《そう》。

② 自然の**オン**恵《けい》に浴《よく》す。

③ 友人の訃報《ふほう》に号《ごう》**キュウ**する。

④ 瀬戸内海《せとないかい》を周《しゅう》**コウ**する。

⑤ 我田引《がでんいん》**スイ**。

⑥ 急に視《し》**カイ**が開けた。

⑦ 免許証《めんきょしょう》を交《こう》**フ**する。

⑧ 海の**サチ**。

⑨ 几《き》**チョウ**面《めん》な性格。

⑩ **ショ**志《し》を貫徹《かんてつ》する。

⑪ **カン**線道路《せんどうろ》の渋滞《じゅうたい》。

⑫ 一《いっ》**キ**一憂《いちゆう》。

⑬ **ク**心惨憺《しんさんたん》する。

⑭ **スウ**奇《き》な運命をたどる。

⑮ 別に**タ**意《い》はない。

⑯ 文《ぶん》**ゲイ**評論家《ひょうろんか》。

⑰ 要《よう》**リョウ**よく説明する。

⑱ **コウ**陰《いん》矢の如《ごと》し。

⑲ **ギャッ**境《きょう》に耐《た》える。

⑳ 相手の意《い》**コウ**を確かめる。

前頭葉機能検査

……………… 月 日

Ⅰ カウンティングテスト

1から120までを声に出してできるだけ早く数えます。数え終わるまでにかかった時間を計りましょう。

秒

Ⅱ 単語記憶テスト

まず、次のことばを、**2分間**で、できるだけたくさん覚えます。

しかけ	あまり	みどり	かたな	ひるま	すもう
ごぼう	もくば	たいら	とんび	えがお	きせつ
よなか	さいふ	みぞれ	おなか	にんき	ぶたい
のぼり	いろり	こおり	ほたる	てがら	かびん
ひざし	すみれ	たんい	しんし	きこう	あいず

覚えたことばを、裏《うら》のページの解答用紙にできるだけたくさん書きます。
2分間で、覚えたことばを、いくつ思い出すことができますか？

Ⅱ 覚えたことばを、**2分間**で ☐ に書きましょう。

単語記憶テスト解答欄

正答数 　　語

Ⅲ 別冊9ページの「**ストループテスト**」も忘れずに行いましょう。

次の文章を声に出してできる限り早く二回読みましょう。

開始時刻 分 秒

三四郎《さんしろう》

夏目漱石《なつめそうせき》

うとうととして目《め》がさめると女《おんな》はいつのまにか、隣《となり》のじいさんと話《はなし》を始《はじ》めている。このじいさんはたしかに前《まえ》の前《まえ》の駅《えき》から乗《の》ったいなか者《もの》である。発車《はっしゃ》まぎわに頓狂《とんきょう》な声《こえ》を出《だ》して駆《か》け込《こ》んで来《き》て、いきなり肌《はだ》をぬいだと思《おも》ったら背中《せなか》にお灸《きゅう》のあとがいっぱいあったので、三四郎《さんしろう》の記憶《きおく》に残《のこ》っている。じいさんが汗《あせ》をふいて、肌《はだ》を入《い》れて、女《おんな》の隣《となり》に腰《こし》をかけたまでよく注意《ちゅうい》して見《み》ていたくらいである。

女《おんな》とは京都《きょうと》からの相乗《あいの》りである。乗《の》った時《とき》から三四郎《さんしろう》の目《め》についた。第一《だいいち》色《いろ》が黒《くろ》い。三四郎《さんしろう》は九州《きゅうしゅう》から山陽線《さんようせん》に移《うつ》って、だんだん京大阪《きょうおおさか》へ近《ちか》づいて来《く》るうちに、女《おんな》の色《いろ》が次第《しだい》に白《しろ》くなるのでいつのまにか故郷《こきょう》を遠《とお》のくような哀《あわ》れを感《かん》じていた。それでこの女《おんな》が車室《しゃしつ》にはいって来《き》た時《とき》は、なんとなく異性《いせい》の味方《みかた》を得《え》た心持《こころも》ちがした。

終了時刻 分 秒　所要時間 分 秒＝① 秒　768音÷① 秒＝ 音／秒

第31日 漢字の書き取り

月　日

正答率　/20

● 次の――線のカタカナを漢字になおしましょう。

① テレビ映画《えいが》を**ロク**画《が》する。 ❹

② **ニク**眼《がん》では見えない。 ❷

③ 先祖代々の**ハカ**に参る。 ❺

④ **フ**母《ぼ》の世話をする。 ❷

⑤ 権限《けんげん》を**イ**譲《じょう》する。 ❸

⑥ 市議会議員に立《りっ》**コウ**補《ほ》する。 ❹

⑦ 直《ちょっ》**カン**で判断する。 ❸

⑧ 血《けつ》**エキ**型《がた》。 ❺

⑨ 仲間と**カイ**食《しょく》をする。 ❷

⑩ 紳士《しんし》、淑《しゅく》**ジョ**。 ❶

⑪ 書類を**テイ**出《しゅつ》する。 ❺

⑫ 十年一《じゅうねんひと》**ムカシ**。 ❸

⑬ 育《いく》**ジ**休暇《きゅうか》を取る。 ❹

⑭ 国宝《こくほう》を慎《しん》**チョウ**に扱《あつか》う。 ❸

⑮ 人数分**キン**等《とう》に分ける。 ❺

⑯ **オク**万長者《まんちょうじゃ》。 ❹

⑰ 大相撲《おおずもう》の**オウ**金《ごん》時代。 ❷

⑱ 定《てい》**ヒョウ**ある辞典。 ❺

⑲ 夕《ゆう》**ハン**の支度をする。 ❹

⑳ 家で予《よ》**シュウ**をする。 ❸

第32日

月　日

次の文章を声に出してできる限り早く二回読みましょう。

開始時刻　分　秒

津軽《つがる》

太宰《だざい》　治《おさむ》

或《あ》るとしの春《はる》、私《わたし》は、生《う》れてはじめて本州北端《ほんしゅうほくたん》、津軽《つがる》半島《はんとう》を凡《およ》そ三週間《さんしゅうかん》ほどかかって一周《いっしゅう》したのであるが、それは、私《わたし》の三十幾年《さんじゅういくねん》の生涯《しょうがい》に於《お》いて、かなり重要《じゅうよう》な事件《じけん》の一《ひと》つであった。私《わたし》は津軽《つがる》に生《う》れ、そうして二十年間《にじゅうねんかん》、津軽《つがる》に於《お》いて育《そだ》ちながら、金木《かなぎ》、五所川原《ごしょがわら》、青森《あおもり》、弘前《ひろさき》、浅虫《あさむし》、大鰐《おおわに》、それだけの町《まち》を見《み》ただけで、その他《ほか》の町村《ちょうそん》に就《つ》いては少《すこ》しも知《し》るところが無《な》かったのである。

金木《かなぎ》は、私《わたし》の生《う》れた町《まち》である。津軽平野《つがるへいや》のほぼ中央《ちゅうおう》に位《くらい》し、人口五《じんこうご》、六千《ろくせん》の、これという特徴《とくちょう》もないが、どこやら都会《とかい》ふうにちょっと気取《きど》った町《まち》である。善《よ》く言《い》えば、水《みず》のように淡泊《たんぱく》であり、悪《わる》く言《い》えば、底《そこ》の浅《あさ》い見栄坊《みえぼう》の町《まち》という事《こと》になっているようである。それから三里《さんり》ほど南下《なんか》し、岩木川《いわきがわ》に沿《そ》うて五所川原《ごしょがわら》という町《まち》が在《あ》る。

終了時刻　分　秒　所要時間　分　秒＝①　秒　756音÷①秒＝　音／秒

第32日 漢字の書き取り

月　日

正答率　/20

● 次の——線のカタカナを漢字になおしましょう。

① 学習《がくしゅう》**サン**考書《こうしょ》。 ❹

② 知育・**トク**育《いく》・体育。 ❺

③ **セイ**耕《こう》雨《う》読《どく》。 ❷

④ **イ**が丈夫《じょうぶ》で食欲《しょくよく》がある。 ❹

⑤ 冷たい**タニ**川《がわ》の水。 ❷

⑥ **キ**望《ぼう》的《てき》な観測。 ❹

⑦ 清《せい》**ヒン**な人生。 ❺

⑧ 前年度予算の**ヨ**剰金《じょうきん》。 ❺

⑨ 金銭《きんせん》**スイ**納帳《とうちょう》。 ❶

⑩ ゴールを**シ**守《しゅ》する。 ❸

⑪ スペインで闘《とう》**ギュウ**を見る。 ❷

⑫ 話が急に**グ**体化《たいか》する。 ❸

⑬ 説明が重《ちょう》**フク**する。 ❺

⑭ 紀州の**ウメ**干《ぼし》。 ❹

⑮ 家宝《かほう》の**ユ**来《らい》を調べる。 ❸

⑯ 一万キロを**ソウ**破《は》する。 ❷

⑰ お寺の**ジュウ**職《しょく》。 ❸

⑱ 書籍《しょせき》の印《いん》**ゼイ**。 ❺

⑲ 鞄《かばん》などの**ヒ**革製品《かくせいひん》を買う。 ❸

⑳ 交通費を**セッ**半《ぱん》する。 ❹

次の文章を声に出してできる限り早く一回読みましょう。

開始時刻　　分　　秒

よだかの星《ほし》

宮沢賢治《みやざわけんじ》

　よだかは、実《じつ》にみにくい鳥《とり》です。

　顔《かお》は、ところどころ、味噌《みそ》をつけたようにまだらで、くちばしはひらたくて、耳《みみ》までさけています。

　足《あし》は、まるでよぼよぼで、一間《いっけん》とも歩《ある》けません。

　ほかの鳥《とり》は、もう、よだかの顔《かお》を見《み》ただけでも、いやになってしまうという工合《ぐあい》でした。

　たとえば、ひばりも、あまり美《うつく》しい鳥《とり》ではありませんが、よだかよりは、ずっと上《うえ》だと思《おも》っていましたので、夕方《ゆうがた》など、よだかにあうと、さもさもいやそうに、しんねりと目《め》をつぶりながら、首《くび》をそっぽへ向《む》けるのでした。

　もっとちいさなおしゃべりの鳥《とり》などは、いつでもよだかのまっこうから悪口《わるくち》をしました。

「ヘン。又《また》出《で》て来《き》たね。まあ、あのざまをごらん。ほんとうに、鳥《とり》の仲間《なかま》のつらよごしだよ。」

終了時刻　　分　　秒　所要時間　　分　　秒＝①　　秒　602音÷①　　秒＝　　音／秒

第33日 漢字の書き取り

月　日

正答率　/20

● 次の――線のカタカナを漢字になおしましょう。

① 教《きょう》**カ**書《しょ》を読む。 ❷

② 勇《ゆう》気《き》百《ひゃく》**バイ**。 ❸

③ 身《しん》**ペン**整《せい》理《り》をする。 ❹

④ 高級ブランドの**ルイ**似《じ》品《ひん》。 ❹

⑤ 警《けい》察《さつ》官《かん》が**ショク**務《む》質《しつ》問《もん》をする。 ❺

⑥ 風《ふう》鈴《りん》は夏の風《ふう》**ブツ**だ。 ❸

⑦ 商店を**イトナ**む。 ❺

⑧ 忠《ちゅう》**ケン**ハチ公《こう》。 ❶

⑨ 一《いっ》**シ**を報いる。 ❷

⑩ 正確な**ジョウ**報《ほう》を伝える。 ❺

⑪ 平《へい》安《あん》遷《せん》**ト**。 ❸

⑫ 国会は立《りっ》**ポウ**機《き》関《かん》だ。 ❹

⑬ 国民の**ケツ**税《ぜい》。 ❸

⑭ **カイ**抜《ばつ》千メートルの山。 ❷

⑮ オリンピックの**ショウ**致《ち》活《かつ》動《どう》。 ❺

⑯ 公園を**サン**歩《ぽ》する。 ❹

⑰ 冷《れい》**ガイ**で農作物がとれない。 ❹

⑱ **ジン**海《かい》戦《せん》術《じゅつ》。 ❶

⑲ 豊《ほう》年《ねん》**マン**作《さく》。 ❹

⑳ **ゲン**定《てい》商《しょう》品《ひん》。 ❺

次の文章を声に出してできる限り早く二回読みましょう。

開始時刻　分　秒

杜子春《とししゅん》

芥川龍之介《あくたがわりゅうのすけ》

或春《あるはる》の日暮《ひぐれ》です。

唐《とう》の都洛陽《みやこらくよう》の西《にし》の門《もん》の下《した》に、ぼんやり空《そら》を仰《あお》いでいる、一人《ひとり》の若者《わかもの》がありました。

若者《わかもの》は名《な》は杜子春《とししゅん》といって、元《もと》は金持《かねもち》の息子《むすこ》でしたが、今《いま》は財産《ざいさん》を費《つか》い尽《つく》して、その日《ひ》の暮《くら》しにも困《こま》る位《くらい》、憐《あわれ》な身分《みぶん》になっているのです。

何《なに》しろその頃洛陽《ころらくよう》といえば、天下《てんか》に並《なら》ぶもののない、繁昌《はんじょう》を極《きわ》めた都《みやこ》ですから、往来《おうらい》にはまだしっきりなく、人《ひと》や車《くるま》が通《とお》っていました。門一《もんいっ》ぱいに当《あた》っている、油《あぶら》のような夕日《ゆうひ》の光《ひかり》の中《なか》に、老人《ろうじん》のかぶった紗《しゃ》の帽子《ぼうし》や、土《ト》耳古《ルコ》の女《おんな》の金《きん》の耳環《みみわ》や、白馬《はくば》に飾《かざ》った色糸《いろいと》の手綱《たづな》が、絶《た》えず流《なが》れて行《ゆ》く容子《ようす》は、まるで画《え》のような美《うつく》しさです。

しかし杜子春《とししゅん》は相変《あいかわ》らず、門《もん》の壁《かべ》に身《み》を凭《もた》せて、ぼんやり空《そら》ばかり眺《なが》めていました。

終了時刻　分　秒　所要時間　分　秒＝①　秒　722音÷①　秒＝　音／秒

第34日 漢字の書き取り

月　日

正答率　/20

● 次の——線のカタカナを漢字になおしましょう。

① 定期預金の利《り》**ソク**。❸

② **サク**晩《ばん》の出来事。❹

③ 落語の**シ**匠《しょう》。❺

④ **チョウ**内会《ないかい》の会長。❶

⑤ 竹《ちく》**バ**の友。❷

⑥ 電車が車両《しゃりょう》**コ**障《しょう》で遅《おく》れる。❺

⑦ 電子顕微《でんしけんび》**キョウ**。❹

⑧ 可及的《かきゅうてき》**スミ**やかに処理《しょり》する。❸

⑨ 人事《じんじ》**コウ**課《か》。❷

⑩ **モ**寄《よ》りの駅。❹

⑪ 簡《かん》**イ**生命《せいめい》保険《ほけん》。❺

⑫ お**ダイ**目《もく》を唱える。❸

⑬ 交通違《こうつうい》**ハン**。❸

⑭ 余興《よきょう》に奇《き》**ジュツ**を行う。❺

⑮ 支払《しはら》い伝《でん》**ピョウ**をきる。❹

⑯ **ショウ**和時代《わじだい》。❸

⑰ 家庭の常《じょう》**ビ**薬《やく》。❺

⑱ 貴重《きちょう》な経《けい》**ケン**をした。❹

⑲ 音楽《おんがく》**カ**になる。❷

⑳ 希望者が**ゾク**出《しゅつ》する。❹

次の文章を声に出してできる限り早く一回読みましょう。

開始時刻　　分　　秒

ヰ《い》タ・セクスアリス

森《もり》　鷗外《おうがい》

金井湛君《かないしずかくん》は哲学《てつがく》が職業《しょくぎょう》である。

哲学者《てつがくしゃ》という概念《がいねん》には、何《なに》か書物《しょもつ》を書《か》いているということが伴《ともな》う。金井君《かないくん》は哲学《てつがく》が職業《しょくぎょう》である癖《くせ》に、なんにも書物《しょもつ》を書《か》いていない。文科大学《ぶんかだいがく》を卒業《そつぎょう》するときには、外《げ》道哲学《どうてつがく》とSokrates《ソクラテス》前《ぜん》の希臘哲学《ギリシャてつがく》との比較的研究《ひかくてきけんきゅう》とかいう題《だい》で、余程《よほど》へんなものを書《か》いたそうだ。それからというものは、なんにも書《か》かない。

しかし職業《しょくぎょう》であるから講義《こうぎ》はする。講座《こうざ》は哲学史《てつがくし》を受け持《も》っていて、近世哲学史《きんせいてつがくし》の講義《こうぎ》をしている。学生《がくせい》の評判《ひょうばん》では、本《ほん》を沢山《たくさん》書《か》いている先生方《せんせいがた》の講義《こうぎ》よりは、金井《かない》先生《せんせい》の講義《こうぎ》の方《ほう》が面白《おもしろ》いということである。講義《こうぎ》は直観的《ちょっかんてき》で、或物《あるもの》の上《うえ》に強《つよ》い光線《こうせん》を投《な》げることがある。そういうときに、学生《がくせい》はいつまでも消《き》えない印象《いんしょう》を得《え》るのである。

終了時刻　　分　　秒　所要時間　　分　　秒＝①　　秒　760音÷①　　秒＝　　音／秒

第35日 漢字の書き取り

月　日

正答率 /20

● 次の——線のカタカナを漢字になおしましょう。

① 商店を経《けい》**エイ**する。 ❺

② 夏の林《りん》**カン**学校《がっこう》。 ❷

③ 連《れん》立《りつ》方《ほう》程《てい》**シキ**を解く。 ❸

④ **チョ**水池《すいち》。 ❹

⑤ **フタ**重《え》まぶた。 ❶

⑥ 働いた**ホウ**酬《しゅう》を得る。 ❺

⑦ 国民《こくみん》**カク**層《そう》の支持を得る。 ❹

⑧ **ギョ**眼《がん》レンズ。 ❷

⑨ 混乱《こんらん》を収《しゅう》**シュウ**する。 ❸

⑩ 自業自《じごうじ》**トク**。 ❹

⑪ 南《なん》**ヨウ**諸島《しょとう》。 ❸

⑫ **ハン**籍奉還《せきほうかん》。 ❺

⑬ 隔《かく》**シュウ**土曜日は休み。 ❷

⑭ 太宰治《だざいおさむ》の**オウ**桃忌《とうき》。 ❺

⑮ 選挙活動の**グン**資金《しきん》。 ❹

⑯ 道路の拡《かく》**チョウ**工事《こうじ》。 ❺

⑰ 収入印《しゅうにゅういん》**シ**。 ❷

⑱ 雑《ざっ》**カ**屋《や》。 ❹

⑲ 文字の誤《ご》**ショク**を見つける。 ❸

⑳ 名所《めいしょ》**キュウ**跡《せき》。 ❺

第7週 前頭葉機能検査 ……………………… 月 日

Ⅰ カウンティングテスト

1から120までを声に出してできるだけ早く数えます。数え終わるまでにかかった時間を計りましょう。

秒

Ⅱ 単語記憶テスト

まず、次のことばを、**2分間**で、できるだけたくさん覚えます。

こよみ	ねいき	いれい	ぶどう	だえん	かだん
あみど	はがき	さかな	もぐら	くうき	とんぼ
じかん	めかた	えのぐ	きぜつ	ひたい	ぜんや
ふきん	こかげ	みなと	すもも	でぐち	あいて
だんご	おばけ	よふけ	ぼたん	きごう	しぶき

覚えたことばを、裏《うら》のページの解答用紙にできるだけたくさん書きます。
2分間で、覚えたことばを、いくつ思い出すことができますか？

Ⅱ　覚えたことばを、**2分間**で［　　］に書きましょう。

単語記憶テスト解答欄

正答数
　　語

Ⅲ　別冊10ページの「**ストループテスト**」も忘れずに行いましょう。

第36日

次の文章を声に出してできる限り早く一回読みましょう。

月　日

開始時刻　分　秒

嵐《あらし》

島崎藤村《しまざきとうそん》

子供等《こどもら》は古《ふる》い時計《とけい》のかゝった茶《ちゃ》の間《ま》に集《あつ》まって、そこにある柱《はしら》の側《そば》へ各自《かくじ》の背丈《せたけ》を比《くら》べに行《い》った。次郎《じろう》の背《せい》の高《たか》くなったのにも驚《おどろ》く。家中《いえじゅう》で、一番高《いちばんたか》い。あの兒《こ》の頭《あたま》はもう一寸四分《いっすんよんぶ》ぐらいで鴨居《かもい》にまで届《とど》きそうに見《み》える。毎年《まいとし》の暮《くれ》に、郷里《きょうり》の方《ほう》から年取《としと》りに上京《じょうきょう》して、その時《とき》だけ私達《わたしたち》と一緒《いっしょ》になる太郎《たろう》よりも、次郎《じろう》の方《ほう》が背《せい》はずっと高《たか》くなった。

茶《ちゃ》の間《ま》の柱《はしら》の側《そば》は狭《せま》い廊下《ろうか》づたいに、玄關《げんかん》や臺所《だいどころ》への通《かよ》い口《ぐち》になっていて、そこへ身長《しんちょう》を計《はか》りに行《ゆ》くものは一《ひと》人《り》ずつその柱《はしら》を背《せ》にして立《た》たせられた。そんなに背延《せの》びしては狡《ずる》いと言《い》い出《だ》すものがあり、もっと頭《あたま》を平《たいら》にしてなどと言《い》うものがあって、家中《いえじゅう》のものがみんなで大騒《おおさわ》ぎしながら、誰《だれ》が何分《なんぶ》延《の》びたというしるしを鉛筆《えんぴつ》で柱《はしら》の上《うえ》に記《しる》しつけて置《お》いた。

終了時刻　分　秒　所要時間　分　秒＝①　秒　754音÷①　秒＝　音／秒

第36日 漢字の書き取り

月　日

正答率　/20

● 次の——線のカタカナを漢字になおしましょう。

① 雲散霧《うんさんむ》**ショウ**。 ❸

② 口《こう》**ジュツ**筆記《ひっき》。 ❺

③ アメリカは人《じん》**シュ**の坩堝《るつぼ》。 ❹

④ **キョク**地的《ちてき》な大雨。 ❸

⑤ **ヒン**行方正《こうほうせい》。 ❸

⑥ 天下《てんか》**タイ**平《へい》。 ❷

⑦ 学《がく》**シキ**経験者《けいけんしゃ》。 ❺

⑧ 目《もく》**ヒョウ**を達成する。 ❹

⑨ 民族の伝《でん》**トウ**を守る。 ❺

⑩ 融《ゆう》**ズウ**がきかない。 ❷

⑪ 寄《き》**シュク**舎《しゃ》。 ❸

⑫ 教育について講《こう》**エン**する。 ❺

⑬ 六年生に進《しん》**キュウ**する。 ❸

⑭ 正月に門《かど》**マツ**を立てる。 ❹

⑮ **ソッ**直《ちょく》な感想。 ❺

⑯ 善悪《ぜんあく》の**ハン**断《だん》がつかない。 ❺

⑰ 草花に水を**ソソ**ぐ。 ❸

⑱ 父の**ショ**斎《さい》で本を読む。 ❷

⑲ **ゴク**楽浄土《らくじょうど》。 ❹

⑳ 良《りょう》**サイ**賢母《けんぼ》。 ❺

第37日　　月　　日

次の文章を声に出してできる限り早く二回読みましょう。

開始時刻　　分　　秒

火事《かじ》とポチ

有島武郎《ありしまたけお》

ポチの鳴《な》き声《ごえ》でぼくは目《め》がさめた。

ねむたくてたまらなかったから、うるさいなとその鳴《な》き声《ごえ》をおこっているまもなく、真赤《まっか》な火《ひ》が目《め》に映《うつ》ったので、おどろいて両方《りょうほう》の目《め》をしっかり開《ひら》いて見《み》たら、戸《と》だなの中《なか》じゅうが火《ひ》になっているので、二度《にど》おどろいて飛《と》び起《お》きた。そうしたらぼくのそばに寝《ね》ているはずのおばあさまが何《なに》か黒《くろ》い布《きれ》のようなもので、夢中《むちゅう》になって戸《と》だなの火《ひ》をたたいていた。なんだか知《し》れないけれどもぼくはおばあさまの様子《ようす》がこっけいにも見《み》え、おそろしくも見《み》えて、思《おも》わずその方《ほう》に駆《か》けよった。そうしたらおばあさまはだまったままでうるさそうにぼくをはらいのけておいてその布《きれ》のようなものをめったやたらにふり回《まわ》した。それがぼくの手《て》にさわったらぐしょぐしょにぬれているのが知《し》れた。

終了時刻　　分　　秒　所要時間　　分　　秒＝①　　秒　644音÷①　　秒＝　　音／秒

第37日 漢字の書き取り

月　日

正答率　/20

● 次の──線のカタカナを漢字になおしましょう。

1 **ガイ**頭録音《とうろくおん》。 ❹

2 **ロウ**若男女《にゃくなんにょ》。 ❹

3 単《たん》**トウ**直入《ちょくにゅう》。 ❷

4 釈迦《しゃか》の**サイ**来《らい》。 ❺

5 兄の部屋は**サッ**風景《ぷうけい》だ。 ❹

6 慈《じ》**ヒ**の心を持つ。 ❸

7 大雨で**カ**川《せん》が氾濫《はんらん》する。 ❺

8 赤《あか》**ジ**国債《こくさい》。 ❶

9 テストで及《きゅう》**ダイ**点《てん》をとる。 ❸

10 火山と地震《じしん》は関《かん》**レン**がある。 ❹

11 南極で越《えっ》**トウ**する。 ❷

12 鉄《てっ》**コウ**石《せき》を輸入する。 ❺

13 三角《さんかく》**ス**をデルタという。 ❸

14 **セイ**廉潔白《れんけっぱく》。 ❹

15 血《ち》**マナコ**で探《さが》す。 ❺

16 江戸幕《えどばく》**フ**。 ❹

17 大衆《たいしゅう》の購《こう》**バイ**力《りょく》が落ちる。 ❷

18 引《いん》**ドウ**を渡《わた》す。 ❺

19 柳生新陰流《やぎゅうしんかげりゅう》の**モン**弟《てい》。 ❷

20 警察《けいさつ》の官《かん》**シャ**。 ❺

次の文章を声に出してできる限り早く一回読みましょう。

開始時刻 分 秒

桜《さくら》の樹《き》の下《した》には

梶《かじ》井《い》基《もと》次《じ》郎《ろう》

桜《さくら》の樹《き》の下《した》には屍《し》体《たい》が埋《う》まっている！

これは信《しん》じていいことなんだよ。何《な》故《ぜ》って、桜《さくら》の花《はな》があんなにも見事《みごと》に咲《さ》くなんて信《しん》じられないことじゃないか。俺《おれ》はあの美《うつく》しさが信《しん》じられないので、この二三日《にさんにち》不《ふ》安《あん》だった。しかしいま、やっとわかるときが来《き》た。桜《さくら》の樹《き》の下《した》には屍《し》体《たい》が埋《う》まっている。これは信《しん》じていいことだ。

どうして俺《おれ》が毎晩《まいばん》家《いえ》へ帰《かえ》って来《く》る道《みち》で、俺《おれ》の部《へ》屋《や》の数《かず》ある道《どう》具《ぐ》のうちの、選《よ》りに選《よ》ってちっぽけな薄《うす》っぺらいもの、安全剃刀《あんぜんかみそり》の刃《は》なんぞが、千里眼《せんりがん》のように思《おも》い浮《うか》んで来《く》るのか――お前《まえ》はそれがわからないと云《い》ったが――そして俺《おれ》にもやはりそれがわからないのだが――それもこれもやっぱり同《おな》じようなことにちがいない。

終了時刻 分 秒　所要時間 分 秒＝①　秒　632音÷　①秒＝　音／秒

第38日 漢字の書き取り

月　　日

正答率　　/20

● 次の——線のカタカナを漢字になおしましょう。

① 音楽の時間に**リン**唱《しょう》する。 ❹

② 剣道指《けんどうし》**ナン**役《やく》。 ❷

③ 思わぬ伏《ふく》**ヘイ**に敗れる。 ❹

④ 領空侵《りょうくうしん》**パン**。 ❺

⑤ 税の**シン**告《こく》をする。 ❸

⑥ 歳末福《さいまつふく》引《び》きの**ケイ**品《ひん》。 ❹

⑦ 育英事業の**キ**金《きん》。 ❺

⑧ 強烈《きょうれつ》な**コ**性《せい》を発揮《はっき》する。 ❺

⑨ 神《じん》**ジャ**仏閣《ぶっかく》。 ❷

⑩ **セイ**天《てん》の霹靂《へきれき》。 ❶

⑪ 蛍《けい》**セツ**の功《こう》。 ❷

⑫ 乳牛《にゅうぎゅう》を**シ**育《いく》する。 ❺

⑬ 応援団《おうえんだん》の**キ**手《しゅ》。 ❹

⑭ 部《ぶ》**シュ**索引《さくいん》。 ❷

⑮ 扁桃腺《へんとうせん》**ヒ**大《だい》。 ❺

⑯ 運賃《うんちん》を改《かい》**テイ**する。 ❸

⑰ 良い事の前《ぜん》**チョウ**。 ❹

⑱ 悪《あく》**セン**身につかず。 ❺

⑲ 前後の文《ぶん》**ミャク**から判断する。 ❹

⑳ **ホウ**富《ふ》な知識。 ❺

次の文章を声に出してできる限り早く二回読みましょう。

開始時刻 分 秒

旅愁《りょしゅう》

横光《よこみつ》利《り》一《いち》

家《いえ》を取《と》り壊《こわ》した庭《にわ》の中《なか》に、白《しろ》い花《はな》をつけた杏《あんず》の樹《き》がただ一本《いっぽん》立《た》っている。復活祭《ふっかつさい》の近《ちか》づいた春寒《はるさむ》い風《かぜ》が河岸《かわぎし》から吹《ふ》く度《たび》に枝枝《えだえだ》が慄《ふる》えつつ弁《べん》を落《お》していく。パッシイからセイヌ河《がわ》を登《のぼ》って来《き》た蒸気船《じょうきせん》が、芽《め》を吹《ふ》き立《た》てたプラターンの幹《みき》の間《あいだ》から物憂《ものう》げな汽缶《きかん》の音《おと》を響《ひび》かせて来《く》る。城砦《じょうさい》のような厚《あつ》い石《いし》の欄壁《らんぺき》に肘《ひじ》をついて、さきから、河《かわ》の水面《みなも》を見降《みお》ろしていた久慈《くじ》は石《いし》の冷《つめ》たさに手首《てくび》に鳥肌《とりはだ》が立《た》って来《き》た。

下《した》の水際《みずぎわ》の敷石《しきいし》の間《あいだ》から草《くさ》が萌《も》え出《だ》し、流《なが》れに揺《ゆ》れている細《ほそ》い杭《くい》の周囲《しゅうい》にはコルクの栓《せん》が密集《みっしゅう》して浮《う》いている。

「どうも、お待《ま》たせして失礼《しつれい》。」

日本《にほん》にいる叔父《おじ》から手紙《てがみ》の命令《めいれい》でユダヤ人《じん》の貿易商《ぼうえきしょう》を訪問《ほうもん》して戻《もど》って来《き》た矢代《やしろ》は、久慈《くじ》の姿《すがた》を見《み》て近《ちか》よって来《く》ると云《い》った。

終了時刻 分 秒　所要時間 分 秒＝①秒　734音÷①秒＝ 音／秒

第39日 漢字の書き取り

月　日

正答率　/20

● 次の——線のカタカナを漢字になおしましょう。

① 正《せい》**カク**な時《じ》刻《こく》。 ❺

② 巧《こう》言《げん》**レイ**色《しょく》。 ❹

③ 背《せ》中《なか》に視《し》**セン**を感じる。 ❷

④ 相手の了《りょう》**ショウ**を得る。 ❺

⑤ 直《ちょっ》**ケイ**五センチの円。 ❹

⑥ 文《ぶん》芸《げい》誌《し》を創《そう》**カン**する。 ❺

⑦ 一週間は七《しち》**ヨウ**日《び》ある。 ❷

⑧ 客の応《おう》**セツ**をする。 ❺

⑨ 一《いっ》**キョ**両《りょう》得《とく》。 ❹

⑩ 歴《れき》**シ**上《じょう》の人物。 ❹

⑪ 結《けっ》**コウ**な出来栄え。 ❺

⑫ **タ**勢《ぜい》に無《ぶ》勢《ぜい》。 ❷

⑬ 俳《はい》句《く》と**セン**柳《りゅう》は違《ちが》う。 ❶

⑭ 牛の放《ほう》**ボク**。 ❹

⑮ 仏前でお**キョウ**を読む。 ❺

⑯ 善《ぜん》戦《せん》空しく敗《はい》**ボク**した。 ❷

⑰ **シ**行《こう》錯《さく》誤《ご》。 ❹

⑱ **ジッ**中《ちゅう》八《はっ》九《く》は成功する。 ❶

⑲ 夫《ふう》**フ**円《えん》満《まん》。 ❺

⑳ **キュウ**援《えん》物《ぶっ》資《し》を届《とど》ける。 ❹

次の文章を声に出してできる限り早く二回読みましょう。

開始時刻　分　秒

高野聖《こうやひじり》

泉《いずみ》　鏡花《きょうか》

「参謀本部編纂《さんぼうほんぶへんさん》の地図《ず》をまた繰開《くりひら》いて見《み》るでもなかろう、と思《おも》ったけれども、余《あま》りの道《みち》じゃから、手《て》を触《さわ》るさえ暑《あつ》くるしい、旅《たび》の法衣《ころも》の袖《そで》をかかげて、表紙《ひょうし》を附《つ》けた折本《おりほん》になってるのを引張《ひっぱ》り出《だ》した。

飛騨《ひだ》から信州《しんしゅう》へ越《こ》える深山《みやま》の間道《かんどう》で、丁度《ちょうど》立休《たちやす》らおうという一本《いっぽん》の樹立《こだち》も無《な》い、右《みぎ》も左《ひだり》も山《やま》ばかりじゃ、手《て》を伸《の》ばすと達《とど》きそうな峰《みね》があると、その峰《みね》へ峰《みね》が乗《の》り、巓《いただき》が被《かぶ》さって、飛《と》ぶ鳥《とり》も見《み》えず、雲《くも》の形《かたち》も見《み》えぬ。

道《みち》と空《そら》との間《あいだ》に唯《ただ》一人《ひとり》我《われ》ばかり、凡《およ》そ正午《しょうご》と覚《おぼ》しい極《ごく》熱《ねつ》の太陽《たいよう》の色《いろ》も白《しろ》いほどに冴《さ》え返《かえ》った光線《こうせん》を、深々《ふかぶか》と戴《いただ》いた一重《ひとえ》の檜笠《ひのきがさ》に凌《しの》いで、こう図面《ずめん》を見《み》た。」

旅僧《たびそう》はそういって、握拳《にぎりこぶし》を両方《りょうほう》枕《まくら》に乗《の》せ、それで額《ひたい》を支《ささ》えながら俯向《うつむ》いた。

終了時刻　分　秒　所要時間　分　秒＝①　秒　718音÷①　秒＝　音／秒

第40日 漢字の書き取り

月　日

正答率　/20

● 次の――線のカタカナを漢字になおしましょう。

① 誤《あやま》りを訂《てい》セイする。 ❶

② 優勝《ゆうしょう》の祝《しゅく》ガ会《かい》。 ❺

③ その地方のカン習《しゅう》に従《したが》う。 ❺

④ シ妹《まい》都《と》市《し》。 ❷

⑤ 恒《こう》キュウ的《てき》平《へい》和《わ》を祈《き》念《ねん》する。 ❺

⑥ 朝顔を観《かん》サツする。 ❹

⑦ 冒《ぼう》ケン小説《しょうせつ》。 ❺

⑧ 薬局でシ販《はん》の薬を買う。 ❷

⑨ 母校に図書をキ贈《ぞう》する。 ❺

⑩ ジ節到来《せつとうらい》。 ❷

⑪ 真打ち登《とう》ジョウ。 ❷

⑫ ソ朴《ぼく》な人柄《ひとがら》。 ❺

⑬ 文化《ぶんか》ザイの保護。 ❺

⑭ 故郷《こきょう》のゾウ煮《に》は懐《なつ》かしい。 ❺

⑮ 和やかに談《だん》ジョウする。 ❹

⑯ 歳月《さいげつ》が経《けい》カする。 ❺

⑰ 静かな農《のう》ソン地帯《ちたい》。 ❶

⑱ 大臣を護《ご》エイする。 ❺

⑲ 独《どく》トクの口《く》調《ちょう》で話す。 ❹

⑳ 仲間でサ話《わ》会《かい》を開く。 ❷

前頭葉機能検査 ………………… □月□日

Ⅰ カウンティングテスト

1から120までを声に出してできるだけ早く数えます。数え終わるまでにかかった時間を計りましょう。

□秒

Ⅱ 単語記憶テスト

まず、次のことばを、**2分間**で、できるだけたくさん覚えます。

おみせ	たきぎ	しくみ	きそく	みなと	あやめ
めがね	いわし	てほん	はかり	せんろ	こくご
くじら	ふくろ	さくら	おとこ	とんや	ひだり
ほとり	きもち	ねうち	もみじ	えふで	じぶん
あかじ	せいぎ	こんぶ	ふとん	たんす	かつお

覚えたことばを、裏《うら》のページの解答用紙にできるだけたくさん書きます。
2分間で、覚えたことばを、いくつ思い出すことができますか？

Ⅱ　覚えたことばを、**2分間**で □ に書きましょう。

単語記憶テスト解答欄

正答数　　語

Ⅲ　別冊11ページの「**ストループテスト**」も忘れずに行いましょう。

第41日

月　日

次の文章を声に出してできる限り早く二回読みましょう。

開始時刻　分　秒

源氏物語《げんじものがたり》

与謝野晶子《よさのあきこ》　訳《やく》

どの天皇様《てんのうさま》の御代《みよ》であったか、女御《にょご》とか更衣《こうい》とかいわれる後宮《こうきゅう》がおおぜいいた中《なか》に、最上《さいじょう》の貴族出身《きぞくしゅっしん》ではないが深《ふか》い御愛寵《ごあいちょう》を得《え》ている人《ひと》があった。最初《さいしょ》から自分《じぶん》こそはという自信《じしん》と、親兄弟《おやきょうだい》の勢力《せいりょく》に恃《たの》む所《ところ》があって宮中《きゅうちゅう》にはいった女御《にょご》たちからは失敬《しっけい》な女《おんな》としてねたまれた。その人《ひと》と同等《どうとう》、もしくはそれより地位《ちい》の低《ひく》い更衣《こうい》たちはまして嫉妬《しっと》の焔《ほのお》を燃《も》やさないわけもなかった。夜《よる》の御殿《おとど》の宿直所《とのいどころ》から退《さが》る朝《あさ》、続《つづ》いてその人《ひと》ばかりが召《め》される夜《よる》、目《め》に見耳《みみみ》に聞《き》いて口惜《くちお》しがらせた恨《うら》みのせいもあったかからだが弱《よわ》くなって、心細《こころぼそ》くなった更衣《こうい》は多《おお》く実家《じっか》へ下《さ》がっていがちということになると、いよいよ帝《みかど》はこの人《ひと》にばかり心《こころ》をお引《ひ》かれになるという御様子《ごようす》で、人《ひと》が何《なん》と批評《ひひょう》をしようともそれに御遠慮《ごえんりょ》などというものがおできにならない。

終了時刻　分　秒　所要時間　分　秒＝①　秒　782音÷①　秒＝　音／秒

月　日

正答率　/20

● 次の――線のカタカナを漢字になおしましょう。

1. シ離《り》滅《めつ》裂《れつ》。 ❺
2. 一騎《いっき》トウ千《せん》。 ❷
3. 内容が酷《こく》ジした本。 ❺
4. 寺院を建《こん》リュウする。 ❶
5. 狐《きつね》が人間にバける。 ❸
6. 日光《にっこう》ヨクをする。 ❹
7. 不平等《ふびょうどう》ジョウ約《やく》を改正する。 ❺
8. 殿様《とのさま》にジキ訴《そ》する。 ❷
9. 砂糖《さとう》を精《せい》セイする。 ❺
10. 潮《しお》がミちる。 ❹
11. 日本酒は醸《じょう》ゾウ酒《しゅ》だ。 ❺
12. 心のカヨう友。 ❷
13. 善《ぜん》ナン善女《ぜんにょ》。 ❶
14. 盆踊《ぼんおど》りで東京音《とうきょうおん》ドを踊《おど》る。 ❷
15. 日《にっ》テイを消化する。 ❺
16. 努力もト労《ろう》に終わる。 ❹
17. 日本列《にほんれっ》トウ。 ❸
18. アキらかに彼《かれ》が悪い。 ❷
19. 門前町としてサカえた町。 ❹
20. 観《かん》ノン様《さま》。 ❶

次の文章を声に出してできる限り早く一回読みましょう。

開始時刻 □分 □秒

武蔵野《むさしの》

国木田独歩《くにきだどっぽ》

「武蔵野《むさしの》の俤《おもかげ》は今《いま》わずかに入間郡《いるまぐん》に残《のこ》れり」と自分《じぶん》は文《ぶん》政《せい》年間《ねんかん》にできた地図《ちず》で見《み》た事《こと》がある。そしてその地図《ちず》に入間郡《いるまぐん》「小手指原《こてさしはら》久米川《くめがわ》は古戦場《こせんじょう》なり太平記《たいへいき》元弘《げんこう》三年《さんねん》五《ご》月十一日《がつじゅういちにち》源平《げんぺい》小手指原《こてさしはら》にて戦《たたか》う事《こと》一日《いちにち》がうちに三十余度《さんじゅうよたび》日暮《ひぐ》れは平家《へいけ》三里《さんり》退《しりぞ》きて久米川《くめがわ》に陣《じん》を取《と》る明《あ》くれば源氏《げんじ》久米川《くめがわ》の陣《じん》へ押《お》し寄《よ》すると載《の》せたるはこの辺《あた》りなるべし」と書《か》き込《こ》んであるのを読《よ》んだ事《こと》がある。自分《じぶん》は武蔵野《むさしの》の跡《あと》のわずかに残《のこ》っているところとは定《さだ》めてこの古戦場《こせんじょう》あたりではあるまいかと思《おも》って、一度《いちど》行《い》って見《み》るつもりでいてまだ行《い》かないが実際《じっさい》は今《いま》もやはりその通《とお》りであろうかと危《あや》ぶんでいる。ともかく、画《え》や歌《うた》でばかり想像《そうぞう》している武蔵野《むさしの》をその俤《おもかげ》ばかりでも見《み》たいものとは自分《じぶん》ばかりの願《ねが》いではあるまい。

終了時刻 □分 □秒　所要時間 □分 □秒＝□①秒　770音÷□①秒＝□音／秒

月　日

正答率　/20

次の――線のカタカナを漢字になおしましょう。

① 組《そ》シキ化《か》された集団。 ❺
② 新しいカ具《ぐ》を買う。 ❷
③ エダ豆《まめ》を食べる。 ❺
④ 窮地《きゅうち》をスクう。 ❹
⑤ 箱の大きさがヒトしい。 ❸
⑥ シャク銅色《どういろ》の肌《はだ》。 ❶
⑦ 火星の観《かん》ソクをする。 ❺
⑧ 寄付をシいられて困《こま》った。 ❷
⑨ 矢をマトに当てる。 ❹
⑩ 目標値《もくひょうち》をサダめる。 ❸
⑪ 安全《あんぜん》セイを確かめる。 ❺
⑫ 一読するにタりる本。 ❶
⑬ 昔はヨウ蚕業《さんぎょう》が盛《さか》んだった。 ❹
⑭ 社会の秩《ちつ》ジョを保つ。 ❺
⑮ ミズカら志願する。 ❷
⑯ お寺のオ尚《しょう》さん。 ❸
⑰ 人生のフシ目《め》。 ❹
⑱ 一期一《いちごいち》エ。 ❷
⑲ 会社で重《じゅう》セキを担《にな》う。 ❺
⑳ 野菜の売買のチュウ介《かい》をする。 ❹

次の文章を声に出してできる限り早く二回読みましょう。

開始時刻 □分□秒

夏《なつ》の花《はな》

原《はら》　民喜《たみき》

私《わたし》は街《まち》に出《で》て花《はな》を買《か》うと、妻《つま》の墓《はか》を訪《おとず》れようと思《おも》った。ポケットには仏壇《ぶつだん》からとり出《だ》した線香《せんこう》が一束《ひとたば》あった。八《はち》月十五日《がつじゅうごにち》は妻《つま》にとって初盆《はつぼん》にあたるのだが、それまでこのふるさとの街《まち》が無事《ぶじ》かどうかは疑《うたが》わしかった。恰度《ちょうど》、休電日《きゅうでんび》ではあったが、朝《あさ》から花《はな》をもって街《まち》を歩《ある》いている男《おとこ》は、私《わたし》のほかに見《み》あたらなかった。その花《はな》は何《なん》という名称《めいしょう》なのか知《し》らないが、黄色《きいろ》の小瓣《こべん》の可憐《かれん》な野趣《やしゅ》を帯《お》び、いかにも夏《なつ》の花《はな》らしかった。

炎天《えんてん》に曝《さら》されている墓石《ぼせき》に水《みず》を打《う》ち、その花《はな》を二《ふた》つに分《わ》けて左右《さゆう》の花《はな》たてに差《さ》すと、墓《はか》のおもてが何《なん》となく清《すが》清《すが》しくなったようで、私《わたし》はしばらく花《はな》と石《いし》に視入《みい》った。この墓《はか》の下《した》には妻《つま》ばかりか、父母《ふぼ》の骨《ほね》も納《おさ》まっているのだった。

終了時刻 □分□秒　所要時間 □分□秒＝□①秒　676音÷□①秒＝□音／秒

第43日 漢字の書き取り

月　日

正答率　/20

● 次の――線のカタカナを漢字になおしましょう。

① 医者に**ゲ**熱剤《ねつざい》をもらう。❺

② **シツ**実剛健《じつごうけん》。❺

③ **ベン**宜《ぎ》をはかる。❹

④ ボールが**コロ**がる。❸

⑤ 子供《こども》を背《せ》**オ**う。❸

⑥ 定年で、会社を**ヤ**める。❹

⑦ **ウシ**ろ髪《がみ》を引かれる。❷

⑧ 事務所を郊外《こうがい》に**ウツ**す。❺

⑨ **マ**口《ぐち》の広い家。❷

⑩ 国の**チ**安《あん》を守る。❹

⑪ 悪事を**カサ**ねる。❸

⑫ 約束を**ハ**たす。❹

⑬ 駅の**カイ**札口《さつぐち》。❹

⑭ 花嫁《はなよめ》の**ツノ**隠《かく》し。❷

⑮ 厚《こう》**ガン**無《む》恥《ち》。❷

⑯ 流れに**サカ**らう。❺

⑰ 救護《きゅうご》施《し》設《せつ》を**モウ**ける。❺

⑱ **ロ**頭《とう》に迷う。❸

⑲ 版画を**ス**る。❹

⑳ 旋盤《せんばん》の技術を**キソ**う。❹

月　日

次の文章を声に出してできる限り早く二回読みましょう。

開始時刻　分　秒

平凡《へいぼん》

二葉亭四迷《ふたばていしめい》

私《わたし》は今年《ことし》三十九《さんじゅうく》になる。人世五十《じんせいごじゅう》が通相場《とおりそうば》なら、まだ今日《きょう》明日《あす》穴《あな》へ入《はい》ろうとも思《おも》わぬが、しかし未来《みらい》は長《なが》いようでも短《みじか》いものだ。過去《すぎさ》って了《しま》えば実《じつ》に呆気《あっけ》ない。まだまだと云《い》ってる中《うち》にいつしかこの世《よ》の隙《ひま》が明《あ》いて、もうおさらばという時節《じせつ》が来《く》る。その時《とき》になって幾《いく》ら足掻《あが》いたって藻掻《もが》いたって追付《おっつ》かない。覚悟《かくご》をするなら今《いま》の中《うち》だ。

いや、しかし私《わたし》も老込《ふけこ》んだ。三十九《さんじゅうく》には老込《ふけこ》みようがチト早過《はやす》ぎるという人《ひと》も有《あ》ろうが、気《き》の持方《もちかた》は年《とし》よりも老《ふ》けた方《ほう》が好《よ》い。それだと無難《ぶなん》だ。

どうしてこんな老人《としより》じみた心持《こころもち》になったものか知《し》らぬが、強《あなが》ち苦労《くろう》をして来《き》た所為《せい》では有《あ》るまい。私位《わたしくらい》の苦労《くろう》は誰《だれ》でもしている。尤《もっと》も苦労《くろう》しても一向《いっこう》苦労《くろう》に負《め》げぬ何時《いつ》までも元気《げんき》な人《ひと》もある。

終了時刻　分　秒　所要時間　分　秒＝①　秒　704音÷①　秒＝　音／秒

第44日 漢字の書き取り …………… 月 日

正答率 /20

● 次の——線のカタカナを漢字になおしましょう。

① **ココロヨ**いリズム。 ❺
② 熟《じゅく》**レン**した運転。 ❸
③ 母の**アユ**んだ道。 ❷
④ 神社に**マイ**る。 ❹
⑤ カビが**ハ**える。 ❶
⑥ **ヤサ**しい問題。 ❺
⑦ 時《じ》刻《こく》を**ツ**げる。 ❹
⑧ 無《む》病《びょう》**ソク**災《さい》。 ❸
⑨ 株《かぶ》式《しき》**ソウ**場《ば》。 ❸
⑩ 店を**カマ**える。 ❺
⑪ **ワラベ**歌《うた》を口ずさむ。 ❸
⑫ 良薬は口に**ニガ**し。 ❸
⑬ 神に**ツカ**える。 ❸
⑭ **カラ**手《て》形《がた》をきる。 ❶
⑮ 風車を**マワ**す。 ❷
⑯ 社会に**ヤク**立《だ》つ。 ❹
⑰ 軒《のき》を**ツラ**ねている店。 ❹
⑱ 目的を**オオヤケ**にしない。 ❷
⑲ 目の**コマ**かい網《あみ》。 ❷
⑳ **ナサ**けは人のためならず。 ❺

次の文章を声に出してできる限り早く二回読みましょう。

開始時刻　　分　　秒

いのちの初夜《しょや》

北条民雄《ほうじょうたみお》

　駅《えき》を出《で》て二十分《にじっぷん》ほども雑木林《ぞうきばやし》の中《なか》を歩《ある》くともう病院《びょういん》の生垣《いけがき》が見《み》え始《はじ》めるが、それでもその間《あいだ》には谷《たに》のように低《ひく》まった処《ところ》や、小高《こだか》い山《やま》のだらだら坂《ざか》などがあって人家《じんか》らしいものは一軒《いっけん》も見当《みあ》たらなかった。東京《とうきょう》からわずか二十《にじゅう》マイルそこそこの処《ところ》であるが、奥山《おくやま》へはいったような静《しず》けさと、人里離《ひとざとはな》れた気配《けはい》があった。

　梅雨期《つゆどき》にはいるちょっと前《まえ》で、トランクを提《さ》げて歩《ある》いている尾田《おだ》は、十分《じっぷん》もたたぬ間《ま》にはやじっとり肌《はだ》が汗《あせ》ばんで来《く》るのを覚《おぼ》えた。ずいぶん辺鄙《へんぴ》な処《ところ》なんだなあと思《おも》いながら、人気《ひとけ》の無《な》いのを幸《さいわ》い、今《いま》まで眼深《まぶか》にかぶっていた帽子《ぼうし》をずり上《あ》げて、木立《こだち》を透《す》かして遠《とお》くを眺《なが》めた。見渡《みわた》す限《かぎ》り青葉《あおば》で覆《おお》われた武蔵野《むさしの》で、その中《なか》にぽつんぽつんと蹲《うずくま》っている藁屋根《わらやね》が何《なん》となく原始的《げんしてき》な寂寥《せきりょう》を忍《しの》ばせていた。

終了時刻　　分　　秒　所要時間　　分　　秒＝①　　秒　758音÷①　　秒＝　　音／秒

第45日 漢字の書き取り

月　日

正答率 /20

● 次の――線のカタカナを漢字になおしましょう。

① 写真の**ガク**縁《ぶち》。 ❺

② 子供《こども》が**スコ**やかに育つ。 ❹

③ あとは**ノ**となれ山となれ。 ❷

④ 鳥を籠《かご》から**ハナ**つ。 ❸

⑤ 仕事の大《たい》**ハン**が片付《かたづ》いた。 ❷

⑥ 毛糸を**ア**む。 ❺

⑦ 繊維《せんい》**ドン**屋《や》。 ❸

⑧ 手足が**ツメ**たい。 ❹

⑨ 友と**ヒサ**し振《ぶ》りに会う。 ❺

⑩ 七転《しちてん》**バッ**倒《とう》。 ❶

⑪ 家の**マワ**りで遊ぶ。 ❹

⑫ 抵抗《ていこう》を**ココロ**みる。 ❹

⑬ **イサギヨ**く責任をとる。 ❺

⑭ 水引を**ユ**う。 ❹

⑮ **セイ**援《えん》を送る。 ❷

⑯ タバコを**マッタ**く吸《す》わない。 ❸

⑰ 日中の文化を対《たい》**ヒ**する。 ❺

⑱ 文房具《ぶんぼうぐ》を**アキナ**う。 ❸

⑲ 基礎《きそ》を**カタ**める。 ❹

⑳ 着《ちゃく》**ガン**点《てん》がいい。 ❺

前頭葉機能検査

□月□日

I カウンティングテスト

1から120までを声に出してできるだけ早く数えます。数え終わるまでにかかった時間を計りましょう。

□秒

II 単語記憶テスト

まず、次のことばを、**2分間**で、できるだけたくさん覚えます。

くすり	おもて	そうじ	みぶり	きたい	いるい
えほん	しけん	めだか	はさみ	せいざ	しかく
たきび	なかま	もよう	あらし	てんき	ふぶき
さざえ	ねがい	ほんき	ひつじ	じまん	おとな
うさぎ	きもの	ふしぎ	だんち	かてい	こけし

覚えたことばを、裏《うら》のページの解答用紙にできるだけたくさん書きます。
2分間で、覚えたことばを、いくつ思い出すことができますか？

II 覚えたことばを、**2分間**で［　　］に書きましょう。

単語記憶テスト解答欄

正答数　　語

III 別冊12ページの「**ストループテスト**」も忘れずに行いましょう。

次の文章を声に出してできる限り早く二回読みましょう。

開始時刻　分　秒

土《つち》

長塚《ながつか》　節《たかし》

烈《はげ》しい西風《にしかぜ》が目《め》に見《み》えぬ大《おお》きな塊《かたまり》をごうっと打《う》ちつけては又《また》ごうっと打《う》ちつけて皆瘦《みなやせ》こけた落葉木《らくようぼく》の林《はやし》を一日《いちにち》苛《いじ》め通《とお》した。木《き》の枝《えだ》は時々《ときどき》ひゅうひゅうと悲痛《ひつう》の響《ひびき》を立《た》てて泣《な》いた。短《みじか》い冬《ふゆ》の日《ひ》はもう落《お》ちかけて黄色《きいろ》な光《ひかり》を放《ほう》射《しゃ》しつつ目叩《またた》いた。そうして西風《にしかぜ》はどうかするとぱったり止《や》んで終《しま》ったかと思《おも》う程静《ほどしず》かになった。泥《どろ》を拗切《ちぎ》って投《な》げたような雲《くも》が不規則《ふきそく》に林《はやし》の上《うえ》に凝《じ》然《っ》とひっついていて空《そら》はまだ騒《さわ》がしいことを示《しめ》している。それで時々《ときどき》は思《おも》い出《だ》したように、木《き》の枝《えだ》がざわざわと鳴《な》る。世間《せけん》が俄《にわか》に心《こころ》ぼそくなった。

お品《しな》は復《ま》た天秤《てんびん》を卸《おろ》した。お品《しな》は竹《たけ》の短《みじか》い天秤《てんびん》の先《さき》へ木《き》の枝《えだ》で拵《こしら》えた小《ち》さな鍵《かぎ》の手《て》をぶらさげてそれで手桶《ておけ》の柄《え》を引《ひ》っ懸《か》けていた。

終了時刻　分　秒　所要時間　分　秒＝①　秒　704音÷①　秒＝　音／秒

第46日 漢字の書き取り

月　日

正答率　/20

● 次の——線のカタカナを漢字になおしましょう。

① 山の生活に**ナ**れる。 ❺

② 彼女《かのじょ》は社長の**ウツワ**だ。 ❹

③ **トウ**記《き》簿《ぼ》謄本《とうほん》。 ❸

④ 生徒を**ヒキ**いて遠足へ行く。 ❺

⑤ 一朝一《いっちょういっ》**セキ**。 ❶

⑥ 栄華《えいが》を**キワ**める。 ❹

⑦ 情景描《じょうけいびょう》**シャ**。 ❸

⑧ 経験に**モト**づいて判断する。 ❺

⑨ メンバーが**カ**ける。 ❹

⑩ 五《ご》**シキ**の短冊《たんざく》。 ❷

⑪ 朝刊を**クバ**る。 ❸

⑫ **グン**雄割拠《ゆうかっきょ》。 ❺

⑬ **トコ**夏《なつ》の国。 ❺

⑭ 急転直《きゅうてんちょっ》**カ**。 ❶

⑮ 世界平和を**ノゾ**む。 ❹

⑯ ご進《しん》**モツ**を丁寧《ていねい》に包む。 ❸

⑰ 次官を**ヘ**て大臣になる。 ❺

⑱ 鉄の効《こう》**ヨウ**は大きい。 ❷

⑲ 手を**カ**りる。 ❹

⑳ 知恵《ちえ》を**カ**す。 ❺

次の文章を声に出してできる限り早く二回読みましょう。

開始時刻 □分□秒

赤蛙《あかがえる》

島木健作《しまきけんさく》

　寝《ね》つきりに寝《ね》つくようになる少《すこ》し前《まえ》に修善寺《しゅぜんじ》へ行《い》った。その頃《ころ》はもうずいぶん衰弱《すいじゃく》していたのだが、自分《じぶん》ではまだそれほどとは思《おも》っていなかった。少《すこ》し体《からだ》を休《やす》めれば、じきに元気《げんき》を回復《かいふく》するつもりでいた。温泉《おんせん》そのものは消《しょう》極性《きょくせい》の自分《じぶん》の病気《びょうき》には却《かえ》ってわるいので、私《わたし》はただ静《しず》かな環境《かんきょう》にたったひとりでいることを欲《ほっ》したのである。修《しゅ》善寺《ぜんじ》は前《まえ》に一晩《ひとばん》泊《とま》ったことがあるきりで、べつにいい所《ところ》だとも思《おも》わなかったが、ほかに行《い》くつもりだった所《ところ》が、宿《やど》の都合《つごう》がわるいと断《ことわ》って来《き》たので、そこにしたのだった。

　宿《やど》についた私《わたし》はその日《ひ》のうちにもうすっかり失望《しつぼう》して、来《き》たことを後悔《こうかい》しなければならなかった。実《じつ》にひどい部屋《や》に通《とお》されたのだ。

終了時刻 □分□秒　所要時間 □分□秒＝①□秒　642音÷①□秒＝□音／秒

第47日 漢字の書き取り

月　日

正答率 /20

● 次の――線のカタカナを漢字になおしましょう。

① **ケワ**しい山道。 ❺

② 風邪《かぜ》のために**オ**寒《かん》がする。 ❸

③ 辞典を**ヒ**く。 ❷

④ **ワザワ**いを転じて福となす。 ❺

⑤ 天の羽《は》**ゴロモ**。 ❹

⑥ 地球儀《ちきゅうぎ》にある**シ**午線《ごせん》。 ❶

⑦ 歌手を**ココロザ**す。 ❺

⑧ **ショウ**形文字《けいもじ》。 ❹

⑨ この辺の地理に**クラ**い。 ❸

⑩ ご意見を**ウケタマワ**る。 ❺

⑪ 優柔不《ゆうじゅうふ》**ダン**。 ❺

⑫ 旅支《たびじ》**タク**をする。 ❸

⑬ 無益な殺《せっ》**ショウ**はしない。 ❶

⑭ 学びの**ソノ**。 ❷

⑮ 先生の恩に**ムク**いる。 ❺

⑯ 心臓《しんぞう》の**ホッ**作《さ》がおこる。 ❸

⑰ 城《しろ》を取り**カコ**む。 ❹

⑱ 若《わか》さを**タモ**つ。 ❺

⑲ 下町《したまち》**ソダ**ち。 ❸

⑳ 横綱《よこづな》の土《ど》**ヒョウ**入《い》り。 ❺

第48日

□月□日

次の文章を声に出してできる限り早く二回読みましょう。

開始時刻 □分□秒

蟹工船《かにこうせん》

小林多喜二《こばやしたきじ》

「おい地獄《じごく》さ行《え》ぐんだで！」

二人《ふたり》はデッキの手《て》すりに寄《よ》りかかって、蝸牛《かたつむり》が背《せ》のびをしたように延《の》びて、海《うみ》を抱《かか》え込《こ》んでいる函館《はこだて》の街《まち》を見《み》ていた。――漁夫《ぎょふ》は指元《ゆびもと》まで吸《す》いつくした煙草《たばこ》を唾《つば》と一緒《いっしょ》に捨《す》てた。巻煙草《まきたばこ》はおどけたように色々《いろいろ》にひっくりかえって、高《たか》い船腹《サイド》をすれずれに落《お》ちて行《い》った。彼《かれ》は身体《からだ》一杯酒臭《いっぱいさけくさ》かった。

赤《あか》い太鼓腹《たいこばら》を幅広《はばひろ》く浮《う》かばしている汽船《きせん》や、積荷最中《つみにさいちゅう》らしく海《うみ》の中《なか》から片袖《かたそで》をグイと引張《ひっぱ》られてでもいるように、思《おも》いッ切《き》り片側《かたがわ》に傾《かたむ》いているのや、黄色《きいろ》い、太《ふと》い煙《えん》突《とつ》、大《おお》きな鈴《すず》のような赤《あか》いヴイ、南京虫《ナンキンむし》のように船《ふね》と船《ふね》の間《あいだ》をせわしく縫《ぬ》っているランチ、寒々《さむざむ》とざわめいている油煙《ゆえん》やパン屑《くず》や腐《くさ》った果物《くだもの》の浮《う》いている何《なに》か特別《とくべつ》な織《おり》物《もの》のような波《なみ》……。

終了時刻 □分□秒　所要時間 □分□秒＝①□秒　710音÷①□秒＝□音／秒

第48日 漢字の書き取り

月　日

正答率 /20

● 次の――線のカタカナを漢字になおしましょう。

① お守《まも》り**フダ**。❹

② 花《はな》**タバ**の贈呈《ぞうてい》。❹

③ かげろうが**モ**える。❺

④ 世の中を**オヨ**ぎ回《まわ》る。❸

⑤ 紅《こう》**ハク**のまんじゅう。❶

⑥ 結論《けつろん》を**ミチビ**く。❺

⑦ 発表会を**オコナ**う。❷

⑧ 社長を**シリゾ**く。❺

⑨ 晴天が**ツヅ**く。❹

⑩ **ヨ**論調査《ろんちょうさ》。❸

⑪ 優勝《ゆうしょう》を**アラソ**う。❹

⑫ **マネ**き猫《ねこ》。❺

⑬ 刀を**ト**ぐ。❸

⑭ 機敏《きびん》な動《どう》**サ**。❷

⑮ 正々堂々と**タタカ**う。❹

⑯ **サト**心《ごころ》が付く。❷

⑰ **イキオ**いよく走る。❺

⑱ 孫の子《こ》**モリ**をする。❸

⑲ 無礼を**アヤマ**る。❺

⑳ 幸福を**モト**める。❹

第49日

□月□日

次の文章を声に出してできる限り早く二回読みましょう。

開始時刻 □分□秒

こころ

夏目漱石《なつめそうせき》

私《わたくし》はその人《ひと》を常《つね》に先生《せんせい》と呼《よ》んでいた。だから此所《ここ》でもただ先生《せんせい》と書《か》くだけで本名《ほんみょう》は打《う》ち明《あ》けない。これは世間《せけん》を憚《はば》かる遠慮《えんりょ》というよりも、その方《ほう》が私《わたくし》に取《と》って自然《しぜん》だからである。私《わたくし》はその人《ひと》の記憶《きおく》を呼《よ》び起《おこ》すごとに、すぐ「先生《せんせい》」と云《い》いたくなる。筆《ふで》を執《と》っても心持《こころもち》は同《おな》じ事《こと》である。余所《よそ》々《よそ》しい頭文字《かしらもじ》などはとても使《つか》う気《き》にならない。

私《わたくし》が先生《せんせい》と知《し》り合《あい》になったのは鎌倉《かまくら》である。その時私《ときわたくし》はまだ若々《わかわか》しい書生《しょせい》であった。暑中休暇《しょちゅうきゅうか》を利用《りよう》して海水浴《かいすいよく》に行《い》った友達《ともだち》から是非来《ぜひこ》いという端書《はがき》を受取《うけと》ったので、私《わたくし》は多少《たしょう》の金《かね》を工面《くめん》して、出掛《でかけ》る事《こと》にした。私《わたくし》は金《かね》の工面《くめん》に二三日《にさんち》を費《つい》やした。ところが私《わたくし》が鎌倉《かまくら》に着《つ》いて三日《みっか》と経《た》たないうちに、私《わたくし》を呼《よ》び寄《よ》せた友達《ともだち》は、急《きゅう》に国元《くにもと》から帰《かえ》れという電報《でんぽう》を受《う》け取《と》った。

終了時刻 □分□秒　所要時間 □分□秒＝①□秒　784音÷①□秒＝□音／秒

第49日 漢字の書き取り

月　日

正答率　/20

● 次の――線のカタカナを漢字になおしましょう。

① 国家を**ササ**える大衆《たいしゅう》。 ❺

② 日本で**モット**も長い川。 ❹

③ **タシ**かな証拠《しょうこ》。 ❺

④ 父の趣味《しゅみ》は**イ**碁《ご》だ。 ❹

⑤ 舞台《ぶたい》の**シモ**手《て》。 ❶

⑥ 学校を**サ**る日。 ❸

⑦ 魚介類《ぎょかいるい》を**コノ**んで食べる。 ❹

⑧ 農地を**コウ**作《さく》する。 ❺

⑨ 殿様《とのさま》の若《わか》**ギミ**。 ❸

⑩ 番《ばん》**チャ**をいれる。 ❷

⑪ **ウ**象《ぞう》無象《むぞう》。 ❸

⑫ 貸し借りを相《そう》**サイ**する。 ❹

⑬ **ケ**病《びょう》をつかって休む。 ❺

⑭ つまらない**アヤマ**ち。 ❺

⑮ **ウ**毛《もう》布団《ぶとん》。 ❷

⑯ ミスをして**シ**末書《まつしょ》を書く。 ❸

⑰ 弟は左《ひだり》**キ**きだ。 ❹

⑱ **ウワ**手《て》投《な》げで大関が勝つ。 ❶

⑲ 流浪《るろう》の**タミ**。 ❹

⑳ 芝《しば》**イ**見物《けんぶつ》をする。 ❺

次の文章を声に出してできる限り早く二回読みましょう。

開始時刻　分　秒

人間失格《にんげんしっかく》

太宰《だざい》　治《おさむ》

私《わたし》は、その男《おとこ》の写真《しゃしん》を三葉《さんよう》、見《み》たことがある。

一葉《いちよう》は、その男《おとこ》の、幼年時代《ようねんじだい》、とでも言《い》うべきであろうか、十歳前後《じっさいぜんご》かと推定《すいてい》される頃《ころ》の写真《しゃしん》であって、その子供《こども》が大勢《おおぜい》の女《おんな》のひとに取《と》りかこまれ、（それは、その子《こ》供《ども》の姉《あね》たち、妹《いもうと》たち、それから、従姉妹《いとこ》たちかと想像《そうぞう》される）庭園《ていえん》の池《いけ》のほとりに、荒《あら》い縞《しま》の袴《はかま》をはいて立《た》ち、首《くび》を三十度《さんじゅうど》ほど左《ひだり》に傾《かたむ》け、醜《みにく》く笑《わら》っている写真《しゃしん》である。醜《みにく》く？　けれども、鈍《にぶ》い人《ひと》たち（つまり、美醜《びしゅう》などに関心《かんしん》を持《も》たぬ人《ひと》たち）は、面白《おもしろ》くも何《なん》とも無《な》いような顔《かお》をして、

「可愛《かわい》い坊《ぼっ》ちゃんですね。」

といい加減《かげん》なお世辞《せじ》を言《い》っても、まんざら空《から》お世辞《せじ》に聞《きこ》えないくらいの、謂《い》わば通俗《つうぞく》の「可愛《かわい》らしさ」みたいな影《かげ》もその子供《こども》の笑顔《えがお》に無《な》いわけではないのだが、……（略）

終了時刻　分　秒　所要時間　分　秒＝①　秒　710音÷①　秒＝　音／秒

第50日 漢字の書き取り

月　日

正答率　/20

● 次の――線のカタカナを漢字になおしましょう。

① 十の**クライ**で四捨五入《ししゃごにゅう》する。 ❹

② お寺の**ケイ**内《だい》で遊ぶ。 ❺

③ 交際費を**へ**らす。 ❺

④ **コ**型《がた》のヨット。 ❶

⑤ 矢《や》**ジルシ**の方向へ進む。 ❹

⑥ 七夕《たなばた》**マツ**り。 ❸

⑦ 秘伝《ひでん》を**サズ**ける。 ❺

⑧ **シオ**辛《から》い漬物《つけもの》。 ❹

⑨ タクシーに**アイ**乗《の》りする。 ❸

⑩ 民法を**オサ**める。 ❺

⑪ 名《な》**ザ**しする。 ❸

⑫ ゴムの**クダ**。 ❹

⑬ 生まれつきの**ショウ**分《ぶん》。 ❺

⑭ 世《せ》**ケン**は甘《あま》くない。 ❷

⑮ 和服姿《わふくすがた》が**イタ**に付いている。 ❸

⑯ 佳作《かさく》になるのが**セキ**の山だ。 ❹

⑰ 祖母の**クルマ**椅子《いす》を押《お》す。 ❶

⑱ 祖父は宮大《みやだい》**ク**だ。 ❷

⑲ **ショウ**進料理《じんりょうり》。 ❺

⑳ 一面の**ナ**の花畑。 ❹

前頭葉機能検査

□月□日

Ⅰ カウンティングテスト

1から120までを声に出してできるだけ早く数えます。数え終わるまでにかかった時間を計りましょう。

□秒

Ⅱ 単語記憶テスト

まず、次のことばを、**2分間**で、できるだけたくさん覚えます。

ながめ	おやこ	らくだ	じけん	はしご	いくさ
うしろ	でんき	たたみ	まいご	くもり	せいじ
ひづめ	こころ	めばえ	かばん	やかん	ちいき
ねずみ	りかい	じだい	あかり	ぞうり	ぎだい
いるか	さしず	みほん	ふそく	おどり	あくび

覚えたことばを、裏《うら》のページの解答用紙にできるだけたくさん書きます。
2分間で、覚えたことばを、いくつ思い出すことができますか？

Ⅱ　覚えたことばを、**2分間**で［　　］に書きましょう。

単語記憶テスト解答欄

正答数
［　　　］語

Ⅲ　別冊13ページの「**ストループテスト**」も忘れずに行いましょう。

次の文章を声に出してできる限り早く二回読みましょう。

開始時刻　分　秒

グスコーブドリの伝記《でんき》

宮沢賢治《みやざわけんじ》

グスコーブドリは、イーハトーヴの大《おお》きな森《もり》のなかに生《う》まれました。おとうさんは、グスコーナドリという名《な》高《だか》い木樵《きこり》で、どんな巨《おお》きな木《き》でも、まるで赤《あか》ん坊《ぼう》を寝《ね》かしつけるように訳《わけ》なく伐《き》ってしまう人《ひと》でした。

ブドリにはネリという妹《いもうと》があって、二人《ふたり》は毎日《まいにち》森《もり》で遊《あそ》びました。ごしっごしっとおとうさんの樹《き》を鋸《ひ》く音《おと》が、やっと聴《き》こえるくらいな遠《とお》くへも行《い》きました。二人《ふたり》はそこで木苺《きいちご》の実《み》をとって湧水《わきみず》に漬《つ》けたり、空《そら》を向《む》いてかわるがわる山鳩《やまばと》の啼《な》くまねをしたりしました。するとあちらでもこちらでも、ぽう、ぽう、と鳥《とり》が睡《ねむ》そうに鳴《な》き出《だ》すのでした。

おかあさんが、家《いえ》の前《まえ》の小《ちい》さな畑《はたけ》に麦《むぎ》を播《ま》いているときは、二人《ふたり》はみちにむしろをしいて坐《すわ》って、ブリキ罐《かん》で蘭《らん》の花《はな》を煮《に》たりしました。

終了時刻　分　秒　所要時間　分　秒＝①　秒　684音÷①　秒＝　音／秒

第51日 漢字の書き取り

月　日

正答率　/20

次の――線のカタカナを漢字になおしましょう。

① ビルを**タ**てる。 ❹

② 再《さい》**サン**忠告《ちゅうこく》をする。 ❶

③ 娘《むすめ》が小《しょう》**ニ**科《か》医《い》になる。 ❹

④ 雨《あま》**ヤド**りをする。 ❸

⑤ 化《か》学《がく》反《はん》**ノウ**式《しき》を書く。 ❺

⑥ 風《ふう》**ウン**急を告《つ》げる。 ❷

⑦ 許可を**ネガ**い出る。 ❹

⑧ 疑《ぎ》心《しん》**アン**鬼《き》。 ❸

⑨ はしごの上で**サカ**立《だ》ちをする。 ❺

⑩ 時間が**ス**ぎる。 ❺

⑪ ワインの**シ**飲《いん》をする。 ❹

⑫ 虫が飛び**カ**う。 ❷

⑬ 自動ドアが**ア**く。 ❸

⑭ 人手が**イ**る。 ❹

⑮ **コ**別《べっ》訪《ほう》問《もん》をする。 ❷

⑯ 縮《しゅく》**ショウ**コピーをとる。 ❶

⑰ 秘《ひ》密《みつ》を**バク**露《ろ》する。 ❺

⑱ 水生植物、**タト**えば睡《すい》蓮《れん》だ。 ❹

⑲ **アク**戦《せん》苦《く》闘《とう》。 ❸

⑳ 名《めい》誉《よ》を挽《ばん》**カイ**する。 ❷

次の文章を声に出してできる限り早く一回読みましょう。

開始時刻 分 秒

ピアノ

芥川龍之介《あくたがわりゅうのすけ》

ある雨《あめ》のふる秋《あき》の日《ひ》、わたしはある人《ひと》を訪《たず》ねるために横浜《よこはま》の山手《やまて》を歩《ある》いて行《い》った。この辺《へん》の荒廃《こうはい》は震災当時《しんさいとうじ》とほとんど変《かわ》っていなかった。もし少《すこ》しでも変《かわ》っているとすれば、それは一面《いちめん》にスレエトの屋根《やね》や煉瓦《れんが》の壁《かべ》の落《お》ち重《かさ》なった中《なか》に藜《あかざ》の伸《の》びているだけだった。現《げん》にある家《いえ》の崩《くず》れた跡《あと》には蓋《ふた》をあけた弓《ゆみ》なりのピアノさえ、半《なか》ば壁《かべ》にひしがれたまま、つややかに鍵盤《けんばん》を濡《ぬ》らしていた。のみならず大小《だいしょう》さまざまの譜本《ふほん》もかすかに色《いろ》づいた藜《あかざ》の中《なか》に桃色《ももいろ》、水色《みずいろ》、薄黄色《うすきいろ》などの横文字《よこもじ》の表紙《ひょうし》を濡《ぬ》らしていた。

わたしはわたしの訪《たず》ねた人《ひと》とあるこみ入《い》った用件《ようけん》を話《はな》した。話《はなし》は容易《ようい》に片《かた》づかなかった。わたしはとうとう夜《よる》に入《はい》った後《のち》、やっとその人《ひと》の家《いえ》を辞《じ》することにした。それも近々《きんきん》にもう一度面談《いちどめんだん》を約《やく》した上《うえ》のことだった。

終了時刻 分 秒　所要時間 分 秒＝① 秒　758音÷① 秒＝ 音／秒

正答率 /20

● 次の――線のカタカナを漢字になおしましょう。

① 旧《きゅう》**タイ**依《い》然《ぜん》とした社風。 ❺

② **スエ**頼《たの》もしい若者《わかもの》。 ❹

③ 商売が**ナ**り立《た》つ。 ❹

④ **オン**故《こ》知《ち》新《しん》。 ❸

⑤ 六尺《ろくしゃく》**ユタ**かの大男。 ❺

⑥ **テイ**裁《さい》よく包む。 ❷

⑦ 赤みを**オ**びた色。 ❹

⑧ アイウエオは母《ぼ》**イン**だ。 ❶

⑨ 禁《きん》**セイ**品《ぴん》を輸出した。 ❺

⑩ 駐日《ちゅうにち》イギリス大《たい》**シ**。 ❸

⑪ 運を天に**マカ**せる。 ❺

⑫ 事故で片《かた》**ガワ**通行《つうこう》になる。 ❹

⑬ 苗《なわ》**シロ**を作る。 ❸

⑭ 父の機《き》嫌《げん》を**ソコ**なう。 ❺

⑮ **マサ**夢《ゆめ》を見た。 ❶

⑯ 明けの明《みょう》**ジョウ**。 ❷

⑰ 事件の**シュ**材《ざい》をする。 ❸

⑱ 水の妖《よう》**セイ**。 ❺

⑲ 敵を**ヒョウ**糧《ろう》攻《ぜ》めにする。 ❹

⑳ 稲《いな》**ビカリ**が走る。 ❷

月　日

次の文章を声に出してできる限り早く一回読みましょう。

開始時刻　分　秒

最後《さいご》の一句《いっく》

森《もり》 鷗外《おうがい》

元文三年十一月二十三日《げんぶんさんねんじゅういちがつにじゅうさんにち》の事《こと》である。大阪《おおさか》で、船乗業《ふなのりぎょう》桂屋太郎兵衛《かつらやたろべえ》というものを、木津川口《きつかわぐち》で三日間《みっかかん》さらした上《うえ》、斬罪《ざんざい》に処《しょ》すると、高札《こうさつ》に書《か》いて立《た》てられた。市中《しちゅう》いたるところ太郎兵衛《たろべえ》の噂《うわさ》ばかりしている中《なか》に、それを最《もっと》も痛切《つうせつ》に感《かん》ぜなくてはならぬ太郎兵衛《たろべえ》の家族《かぞく》は、南組堀《みなみぐみほり》江橋際《えばしぎわ》の家《いえ》で、もうまる二年《にねん》ほど、ほとんど全《まった》く世間《せけん》との交通《こうつう》を絶《た》って暮《く》らしているのである。

この予期《よき》すべき出来事《できごと》を、桂屋《かつらや》へ知《し》らせに来《き》たのは、ほど遠《とお》からぬ平野町《ひらのまち》に住《す》んでいる太郎兵衛《たろべえ》が女房《にょうぼう》の母《はは》であった。この白髪頭《しらがあたま》の媼《おうな》の事《こと》を桂屋《かつらや》では平野町《ひらのまち》のおばあ様《さま》と言《い》っている。おばあ様《さま》とは、桂屋《かつらや》にいる五人《ごにん》の子供《こども》がいつも好《い》い物《もの》をお土産《みやげ》に持《も》って来《き》てくれる祖母《そぼ》に名《な》づけた名《な》で、それを主人《あるじ》も呼《よ》び、女房《にょうぼう》も呼《よ》ぶようになったのである。

終了時刻　分　秒　所要時間　分　秒＝①　秒　772音÷①　秒＝　音／秒

第53日 漢字の書き取り

月　日

正答率　／20

● 次の――線のカタカナを漢字になおしましょう。

① 鮮《あざ》やかな群《ぐん》**ジョウ**色《いろ》。 ❶

② 土佐日記は**キ**行文《こうぶん》だ。 ❹

③ 子を思うは親の**ツネ**。 ❺

④ **ゴウ**引《いん》なやり方を批判《ひはん》する。 ❷

⑤ 事故にあったが**ケイ**傷《しょう》ですんだ。 ❸

⑥ **シン**出鬼没《しゅつきぼつ》。 ❸

⑦ 日本《にっぽん》**コ**有《ゆう》の領土。 ❹

⑧ 負けたのは自《じ》**ゴウ**自《じ》得《とく》だ。 ❸

⑨ 総理大臣は国の**マツリゴト**を行う。 ❺

⑩ 血《けっ》**セイ**注射《ちゅうしゃ》。 ❹

⑪ 長年**ツ**れ添《そ》った夫婦。 ❹

⑫ 物価上昇《じょうしょう》の歯《は》**ド**め策《さく》。 ❷

⑬ 池に氷が**ハ**る。 ❺

⑭ 灘《なだ》の清酒**キ**一本《いっぽん》。 ❶

⑮ 公平《こうへい》**ム**私《し》。 ❹

⑯ 膨張《ぼうちょう》**ケイ**数《すう》を調べる。 ❸

⑰ 割《わ》り算《ざん》の**アマ**りを出す。 ❺

⑱ 用意《ようい》**バン**端《たん》怠《おこた》りない。 ❷

⑲ 一念《いちねん》**ホッ**起《き》。 ❸

⑳ 同業者の**トモ**食《ぐ》い。 ❹

月　日

次の文章を声に出してできる限り早く二回読みましょう。

開始時刻　分　秒

破戒《はかい》

島崎藤村《しまざきとうそん》

蓮華寺《れんげじ》では下宿《げしゅく》を兼《か》ねた。瀬川丑松《せがわうしまつ》が急《きゅう》に転宿《やどがえ》を思《おも》い立《た》って、借《か》りることにした部屋《へや》というのは、その蔵裏《くり》つづきにある二階《にかい》の角《かど》のところ。寺《てら》は信州下水内郡飯山町《しんしゅうしもみのちごおりいいやままち》二十何《にじゅうなん》ヵ寺《じ》の一《ひと》つ、真宗《しんしゅう》に附属《ふぞく》する古刹《こさつ》で、丁度《ちょうど》その二《に》階《かい》の窓《まど》に倚凭《よりかか》って眺《なが》めると、銀杏《いちょう》の大木《たいぼく》を経《へ》て飯山《いいやま》の町《まち》の一部分《いちぶぶん》も見《み》える。さすが信州第一《しんしゅうだいいち》の仏教《ぶっきょう》の地《ち》、古代《こだい》を眼前《めのまえ》に見《み》るような小都会《しょうとかい》、奇異《きい》な北国風《きたぐにふう》の屋造《やづくり》、板葺《いたぶき》の屋根《やね》、または冬期《とうき》の雪除《ゆきよけ》として使用《しよう》する特別《とくべつ》の軒庇《のきびさし》から、ところどころに高《たか》く顕《あらわ》れた寺院《じいん》と樹木《じゅもく》の梢《こずえ》まで――すべて旧《ふる》めかしい町《まち》の光景《ありさま》が香《こう》の烟《けぶり》の中《なか》に包《つつ》まれて見《み》える。ただ一際目立《ひときわめだ》ってこの窓《まど》から望《のぞ》まれるものと言《い》えば、現《げん》に丑松《うしまつ》が奉職《ほうしょく》しているその小学校《しょうがっこう》の白《しろ》く塗《ぬ》った建築物《たてもの》であった。

終了時刻　分　秒　所要時間　分　秒＝①　秒　780音÷①　秒＝　音／秒

漢字の書き取り

月　　日

正答率　　／20

●次の――線のカタカナを漢字になおしましょう。

① 一《いち》部《ぶ》始《し》**ジュウ**を物語る。 ❸

② 開店一《いっ》**シュウ**年《ねん》記《き》念《ねん》。 ❹

③ 身の**ホド**をわきまえる。 ❺

④ **マル**く輪になる。 ❶

⑤ 木綿《もめん》**ドウ**腐《ふ》。 ❸

⑥ 私《わたし》の一《いっ》**サイ**知らない事だ。 ❷

⑦ 昔からの言い**ツタ**え。 ❹

⑧ 精悍《せいかん》な**ツラ**構《がま》え。 ❸

⑨ 雑誌《ざっし》の**フ**録《ろく》。 ❹

⑩ **ユエ**あって放浪《ほうろう》の身となる。 ❺

⑪ 熊《くま》と**ス**手《で》で戦う。 ❺

⑫ 馬の**タ**綱《づな》を引く。 ❶

⑬ 風の**タヨ**りに聞く。 ❹

⑭ 毛布を**マル**洗《あら》いする。 ❷

⑮ 同窓生《どうそうせい》の**ツド**いをする。 ❸

⑯ **ク**徳《どく》を施《ほどこ》す。 ❹

⑰ 貴重品《きちょうひん》を**アズ**かる。 ❺

⑱ 神社の大《おお》**トリ**居《い》。 ❷

⑲ 日本の頭脳《ずのう》が**リュウ**出《しゅつ》する。 ❸

⑳ **キワ**め付きの悪党《あくとう》。 ❹

開始時刻　分　秒

次の文章を声に出してできる限り早く一回読みましょう。

蒼穹《そうきゅう》

梶井基次郎《かじいもとじろう》

ある晩春《ばんしゅん》の午後《ごご》、私《わたし》は村《むら》の街道《かいどう》に沿《そ》った土堤《どて》の上《うえ》で日《ひ》を浴《あ》びていた。空《そら》にはながらく動《うご》かないでいる巨《おお》きな雲《くも》があった。その雲《くも》はその地球《ちきゅう》に面《めん》した側《かたわら》に藤紫色《ふじむらさきいろ》をした陰翳《いんえい》を持《も》っていた。そしてその尨大《ぼうだい》な容積《ようせき》やその藤紫色《ふじむらさきいろ》をした陰翳《いんえい》はなにかしら茫漠《ぼうばく》とした悲哀《ひあい》をその雲《くも》に感《かん》じさせた。

私《わたし》の坐《すわ》っているところはこの村《むら》でも一番広《いちばんひろ》いとされている平地《へいち》の縁《へり》に当《あた》っていた。山《やま》と渓《たに》とがその大方《おおかた》の眺《なが》めであるこの村《むら》では、どこを眺《なが》めるにも勾配《こうばい》のついた地勢《ちせい》でないものはなかった。風景《ふうけい》は絶《た》えず重力《じゅうりょく》の法則《ほうそく》に脅《おびや》かされていた。そのうえ光《ひかり》と影《かげ》の移《うつ》り変《かわ》りは渓間《たにま》にいる人《ひと》に始終慌《しじゅうあわただ》しい感情《かんじょう》を与《あた》えていた。そうした村《むら》のなかでは、渓間《たにま》からは高《たか》く一日日《いちにちひ》の当《あた》るこの平地《へいち》の眺《なが》めほど心《こころ》を休《やす》めるものはなかった。

終了時刻　分　秒　所要時間　分　秒＝①　秒　800音÷①　秒＝　音／秒

第55日 漢字の書き取り

月　日

正答率 /20

● 次の——線のカタカナを漢字になおしましょう。

① 不倶戴《ふぐたい》**テン**の敵。 ❶

② 初冬に降《ふ》る**ヒ**雨《さめ》。 ❸

③ 大仏開《だいぶつかい》**ゲン**。 ❺

④ 居《い》**ソウロウ**三杯目《さんばいめ》にはそっと出し。 ❹

⑤ **ユ**断大敵《だんたいてき》。 ❸

⑥ 浴衣の**ヌノ**地《じ》を選ぶ。 ❺

⑦ 文筆業で**メシ**を食う。 ❹

⑧ 底《そこ》**ビ**えのする冬の夜。 ❹

⑨ 骨董屋《こっとうや》で**ヒロ**い物《もの》をした。 ❸

⑩ 政府が聴《ちょう》**モン**会《かい》を開く。 ❷

⑪ 面積一《いっ》**タン**の畑。 ❸

⑫ 小麦粉を**ネ**る。 ❸

⑬ おとぎ話の竜《りゅう》**グウ**城《じょう》。 ❸

⑭ 祖母の**カタ**見《み》。 ❷

⑮ **セン**客万来《きゃくばんらい》。 ❶

⑯ 子供《こども》には**ツミ**がない。 ❺

⑰ **ト**んで火に入る夏の虫。 ❹

⑱ 妹の八《や》**エ**歯《ば》が可愛い。 ❸

⑲ 木の**ミキ**の周囲を測る。 ❺

⑳ 亭主《ていしゅ》**カン**白《ぱく》。 ❹

前頭葉機能検査 …………………… 月 日

Ⅰ カウンティングテスト

1から120までを声に出してできるだけ早く数えます。数え終わるまでにかかった時間を計りましょう。

秒

Ⅱ 単語記憶テスト

まず、次のことばを、**2分間**で、できるだけたくさん覚えます。

うちわ	おやつ	だいず	きつね	はしら	ぎせき
つばめ	げんき	しごと	せいと	ひかり	いけん
ねばり	かがく	みみず	くらし	ちくわ	とだな
きりん	ほうき	でんち	ながれ	こじん	まきば
あさひ	したく	たにし	かすみ	ふもと	おうじ

覚えたことばを、裏《うら》のページの解答用紙にできるだけたくさん書きます。
2分間で、覚えたことばを、いくつ思い出すことができますか？

Ⅱ 覚えたことばを、**2分間**で ☐ に書きましょう。

単語記憶テスト解答欄

正答数 語

Ⅲ 別冊14ページの「**ストループテスト**」も忘れずに行いましょう。

次の文章を声に出してできる限り早く二回読みましょう。

開始時刻　分　秒

罌粟《けし》の中《なか》

横光《よこみつ》利《り》一《いち》

しばらく芝生《しばふ》の堤《つつみ》が眼《め》の高《たか》さでつづいた。波《なみ》のように高低《こうてい》を描《えが》いていく平原《へいげん》のその堤《つつみ》の上《うえ》に、いちめん真紅《しんく》のひな罌粟《けし》が連續《れんぞく》している。正午《しょうご》にウヰーンを立《た》ってから、三時間《さんじかん》あまりにもなる初夏《しょか》のハンガリヤの野《の》は、見《み》わたす限《かぎ》りこのような野生《やせい》のひな罌粟《けし》の紅《くれない》に染《そま》り、眞晝《まひる》の車窓《しゃそう》に映《うつ》り合《あ》うどの顔《かお》も、ほの明《あか》るく匂《にお》いさざめくように見《み》えた。堤《つつみ》のすぐ向《むこ》うにダニューブ河《がわ》が流《なが》れていて、その低《ひく》まるたびに、罌粟《けし》の波頭《なみがしら》の間《あいだ》から碧《あお》い水面《みなも》が斷續《だんぞく》して顯《あらわ》れる。初《はじ》めは疎《まば》らに點點《てんてん》としていた罌粟《けし》も、それが肥《こ》え太《ふと》ったり痩《や》せたりしながら、およそ一時間《いちじかん》もつづいたと思《おも》うころ、次第《しだい》に密集《みっしゅう》して襲《おそ》い來《き》た、果《はて》しもない眞《しん》紅《く》のこの大群團《だいぐんだん》であった。梶《かじ》はやがて着《つ》くブダペストのことを、人人《ひとびと》がダニューブの女王《じょおう》といってきたことをふと思《おも》い出《だ》した。

終了時刻　分　秒　所要時間　分　秒＝①　秒　778音÷①　秒＝　音／秒

漢字の書き取り

月　日

正答率 /20

● 次の——線のカタカナを漢字になおしましょう。

1 一《いっ》ツイのおひな様。 ❸

2 子供《こども》の寝《ね》ゴト。 ❷

3 布《ふ》トンを敷《し》く。 ❺

4 市場でセりが始まる。 ❹

5 エン卓《たく》会議《かいぎ》。 ❶

6 正月二日の書《か》きゾめ。 ❹

7 方針《ほうしん》を決《けっ》テイする。 ❸

8 東京で一《ひと》ハタあげる。 ❹

9 先生にシツ問《もん》する。 ❺

10 敵討《かたきう》ちのスケ太《だ》刀《ち》をする。 ❸

11 大きな器《き》リョウを持った人。 ❹

12 昼食は手《て》ガルにすませた。 ❸

13 形《けい》ヨウ動《どう》詞《し》。 ❺

14 階段《かいだん》を踏《ふ》みハズす。 ❷

15 町のカナ物《もの》屋《や》で釘《くぎ》を買う。 ❶

16 タビ重《かさ》なる不祥事《ふしょうじ》を起こす。 ❸

17 先発投手を攻《こう》リャクした。 ❺

18 娘《むすめ》がシュウ言《げん》を挙げる。 ❹

19 全国をアン脚《ぎゃ》する。 ❷

20 国《こく》ム大《だい》臣《じん》。 ❺

次の文章を声に出してできる限り早く二回読みましょう。

開始時刻 □分□秒

オリンポスの果実《かじつ》

田中英光《たなかひでみつ》

秋《あき》ちゃん。

と呼《よ》ぶのも、もう可笑《おか》しいようになりました。熊本秋《くまもとあき》子《こ》さん。あなたも、たしか、三十《さんじゅう》に間近《まぢか》い筈《はず》だ。ぼくも同《おな》じく、二十八歳《にじゅうはっさい》。すでに女房《にょうぼう》を貰《もら》い、子供《こども》も一人《ひとり》できた。あなたは、九州《きゅうしゅう》で、女學校《じょがっこう》の體操教師《たいそうきょうし》をしていると、近頃風《ちかごろかぜ》の便《たよ》りにききました。

時間《じかん》というのは、變《へん》なものです。十年近《じゅうねんちか》い歳月《さいげつ》が、當《とう》時《じ》あれほど、あなたの事《こと》というと興奮《こうふん》して、こうした追《つい》憶《おく》をするのさえ、苦《くる》しかったぼくを、今《いま》では冷静《れいせい》におししずめ、ああした愛情《あいじょう》は一體《いったい》なんであったろうかと、考《かんが》えてみるようにさせました。

戀《こい》というには、あまりに素朴《そぼく》な愛情《あいじょう》、ろくろく話《はなし》さえしなかった仲《なか》でしたから、あなたはもう忘《わす》れているかもしれない。

終了時刻 □分□秒　所要時間 □分□秒＝①□秒　646音÷①□秒＝□音／秒

第57日 漢字の書き取り

月　日

正答率 /20

● 次の——線のカタカナを漢字になおしましょう。

① **ネン**功序列《こうじょれつ》。❶

② ダムの水量が**フ**える。❺

③ 国会議員の**セン**挙《きょ》。❹

④ 帽子《ぼうし》を**マ**深《ぶか》にかぶる。❶

⑤ 母の**ケ**粧《しょう》は長い。❸

⑥ 危険《きけん》は**カク**悟《ご》の上だ。❹

⑦ 様々な疾《しっ》**ペイ**を治す。❸

⑧ マラソンで一《いち》**イ**になる。❹

⑨ 秋になると**フト**る。❷

⑩ 京都宇治《うじ》の**ビョウ**等院《どういん》。❸

⑪ 初《しょ》**シ**貫徹《かんてつ》。❺

⑫ 部屋を**チ**らかす。❹

⑬ **ジャッ**冠《かん》二十歳《さい》の若者《わかもの》。❷

⑭ 子供《こども》の笑顔に心が**ナゴ**む。❸

⑮ **イサ**ましい行進曲。❹

⑯ 島の面積を**ハカ**る。❺

⑰ **ソコ**力《ぢから》を発揮《はっき》する。❹

⑱ 代金を**ジュ**領《りょう》する。❸

⑲ 努力して資格を**ウ**る。❹

⑳ 貿《ぼう》**エキ**収支《しゅうし》が黒字になる。❺

次の文章を声に出してできる限り早く一回読みましょう。

開始時刻 □分□秒

虎狩《とらがり》

中島《なかじま》 敦《あつし》

私《わたし》は虎狩《とらがり》の話《はなし》をしようと思《おも》う。虎狩《とらがり》といってもタラスコンの英雄《えいゆう》タルタラン氏《し》の獅子《しし》狩《がり》のようなふざけたものではない。正真正銘《しょうしんしょうめい》の虎狩《とらがり》だ。場所《ばしょ》は朝鮮《ちょうせん》の、しかも京《けい》城《じょう》から二十里位《にじゅうりぐらい》しか隔《へだ》たっていない山《やま》の中《なか》、というと、今時《いまどき》そんな所《ところ》に虎《とら》が出《で》て堪《たま》るものかと云《い》って笑《わら》われそうだが、何《なに》しろ今《いま》から二十年程前迄《にじゅうねんほどまえまで》は、京城《けいじょう》といっても、その近郊東小門外《きんこうひがしこもんがい》の平山牧場《ひらやまぼくじょう》の牛《うし》や馬《うま》がよく夜中《よなか》にさらわれて行《い》ったものだ。もっとも、これは虎《とら》ではなく、豺《ぬくて》という狼《おおかみ》の一種《いっしゅ》にとられるのであったが、とにかく郊外《こうがい》の夜中《よなか》の独《ひと》り歩《ある》きはまだ危険《きけん》な頃《ころ》だった。次《つぎ》のような話《はなし》さえある。東小門外《ひがしこもんがい》の駐在所《ちゅうざいしょ》で、或《あ》る晩《ばん》巡査《じゅんさ》が一人《ひとり》机《つくえ》に向《む》っていると、急《きゅう》に恐《おそ》ろしい音《おと》を立《た》ててガリガリと入口《いりぐち》の硝子戸《ガラスど》を引掻《ひっか》くものがある。

終了時刻 □分□秒　所要時間 □分□秒＝①□秒　776音÷①□秒＝□音／秒

第58日 漢字の書き取り

月　日

正答率　/20

● 次の――線のカタカナを漢字になおしましょう。

① 態度を保《ほ》**リュウ**する。

② 公金を着《ちゃく》**フク**する。

③ **オウ**政《せい》復《ふっ》古《こ》。

④ ショックで**ソッ**倒《とう》する。

⑤ 会社を出て家《いえ》**ジ**につく。

⑥ 手《て》**ナラ**いの師《し》匠《しょう》。

⑦ 塩味を**クワ**える。

⑧ 順《じゅん》**プウ**満《まん》帆《ぱん》。

⑨ 十年ぶりに**サイ**会《かい》する。

⑩ 火《ひ》鉢《ばち》に**スミ**を入れる。

⑪ **シタ**がよく回る。

⑫ 港が氷《ひょう》**ケツ**する。

⑬ 一《いっ》**シン**不《ふ》乱《らん》に勉強する。

⑭ **ウブ**湯《ゆ》をつかわせる。

⑮ 純《じゅん》**シン**な気持ち。

⑯ 掃《そう》除《じ》**トウ**番《ばん》。

⑰ **フ**け込《こ》む年《ねん》齢《れい》ではない。

⑱ ドラマの主《しゅ》**ヤク**を務める。

⑲ 武《ぶ》家《け》諸《しょ》**ハッ**度《と》。

⑳ **キョウ**味《み》津《しん》々《しん》。

次の文章を声に出してできる限り早く一回読みましょう。

開始時刻　　分　　秒

海《うみ》に生《い》くる人々《ひとびと》

葉山嘉樹《はやまよしき》

室蘭港《むろらんこう》が奥深《おくふか》く入《はい》り込《こ》んだ、その太平洋《たいへいよう》への湾口《わんこう》に、大黒島《だいこくとう》が栓《せん》をしている。雪《ゆき》は、北海道《ほっかいどう》の全土《ぜんど》をおおうて地面《じめん》から、雲《くも》までの厚《あつ》さで横《よこ》に降《ふ》りまくった。

汽船《きせん》万寿丸《まんじゅまる》は、その腹《はら》の中《なか》へ三千《さんぜん》トンの石炭《せきたん》を詰《つ》め込《こ》んで、風雪《ふうせつ》の中《なか》を横浜《よこはま》へと進《すす》んだ。船《ふね》は今《いま》大黒島《だいこくとう》をかわろうとしている。その島《しま》のかなたには大《おお》きな波《なみ》が打《う》っている。万寿丸《まんじゅまる》はデッキまで沈《しず》んだその船体《せんたい》を、太平洋《たいへいよう》の怒濤《どとう》の中《なか》へこわごわのぞけて見《み》た。そして思《おも》い切《き》って、乗《の》り出《だ》したのであった。彼女《かのじょ》がその臨月《りんげつ》のからだで走《はし》れる限《かぎ》りの速力《そくりょく》が、ブリッジからエンジンへ命《めい》じられた。

冬期《とうき》における北海航路《ほっかいこうろ》の天候《てんこう》は、いつでも非常《ひじょう》に険悪《けんあく》であった。安全《あんぜん》な航海《こうかい》、愉快《ゆかい》な航海《こうかい》は冬期《とうき》においては北《ほく》部海岸《ぶかいがん》では不可能《ふかのう》なことであった。

終了時刻　　分　　秒　所要時間　　分　　秒＝①　　秒　762音÷①　　秒＝　　音／秒

漢字の書き取り

月　日

正答率　/20

●次の——線のカタカナを漢字になおしましょう。

① 一《いち》リョウ日中《じっちゅう》に結果を出す。 ❸

② 大胆《だいたん》フ敵《てき》。 ❹

③ 本《ほん》リョウを発揮《はっき》する。 ❺

④ 久《く》オンの理想。 ❷

⑤ 事のイ外《がい》さに驚《おどろ》く。 ❸

⑥ 立身出《りっしんしゅっ》セ。 ❸

⑦ 回転《かいてん》モク馬《ば》に乗る。 ❶

⑧ イ食《しょく》足りて礼節を知る。 ❹

⑨ お年《とし》ヨりに席を譲《ゆず》る。 ❺

⑩ 絵《え》マを奉納《ほうのう》する。 ❷

⑪ 年がアラタまる。 ❹

⑫ 霧《きり》サメの降《ふ》る秋。 ❶

⑬ 電《でん》パ探知《たんち》機《き》。 ❸

⑭ 縁《えん》ムスびの神。 ❹

⑮ 津軽《つがる》ベンは味がある。 ❺

⑯ 牧場にヒツジの群れがいる。 ❸

⑰ ナく子《こ》と地頭には勝てぬ。 ❹

⑱ 自由自《じゆうじ》ザイに操《あやつ》る。 ❺

⑲ シュ尾《び》一貫《いっかん》した態度。 ❷

⑳ 貧乏《びんぼう》カナラずしも不幸では無い。 ❹

次の文章を声に出してできる限り早く二回読みましょう。

開始時刻　　分　　秒

田舎教師《いなかきょうし》

田山花袋《たやまかたい》

四里《よんり》の道《みち》は長《なが》かった。その間《あいだ》に青縞《あおじま》の市《いち》の立《た》つ羽生《はにゅう》の町《まち》があった。田圃《たんぼ》にはげんげが咲《さ》き、豪家《ごうか》の垣《かきね》からは八重桜《やえざくら》が散《ち》りこぼれた。赤《あか》い蹴出《けだし》を出《だ》した田舎《いなか》の姐《ねえ》さんがおりおり通《とお》った。

羽生《はにゅう》からは車《くるま》に乗《の》った。母親《ははおや》が徹夜《てつや》して縫《ぬ》ってくれた木綿《もめん》の三紋《みつもん》の羽織《はおり》に新調《しんちょう》のメリンスの兵児帯《へこおび》、車夫《しゃふ》は色《いろ》の褪《あ》せた毛布《けっとう》を袴《はかま》の上《うえ》にかけて、梶棒《かじぼう》を上《あ》げた。何《なん》となく胸《むね》が躍《おど》った。

清三《せいぞう》の前《まえ》には、新《あたら》しい生活《せいかつ》がひろげられていた。どんな生活《せいかつ》でも新《あたら》しい生活《せいかつ》には意味《いみ》があり希望《きぼう》があるように思《おも》われる。五年間《ごねんかん》の中学校生活《ちゅうがっこうせいかつ》、行田《ぎょうだ》から熊谷《くまがや》まで三里《さんり》の路《みち》を朝早《あさはや》く小倉服《こくらふく》着《き》て通《かよ》ったこともう過去《かこ》になった。

終了時刻　　分　　秒　所要時間　　分　　秒＝①　　秒　652音÷①　　秒＝　　音／秒

第60日 漢字の書き取り

月　日

正答率　/20

● 次の――線のカタカナを漢字になおしましょう。

① 旅費を**ツ**合《ごう》する。 ❸

② 危険《きけん》な**シ**想《そう》。 ❷

③ **ヒ**の打ち所がない。 ❺

④ **エイ**才教育《さいきょういく》を行う。 ❹

⑤ 中尊寺《ちゅうそんじ》の**コン**色堂《じきどう》。 ❶

⑥ 遊び**アイ**手《て》。 ❸

⑦ 世間に**ル**布《ふ》された学説。 ❸

⑧ **タダ**ちに連絡《れんらく》をとる。 ❷

⑨ よく**コ**えた土地。 ❺

⑩ **ハ**えある誉《ほま》れ。 ❹

⑪ **ギョ**夫《ふ》の利を占《し》める。 ❹

⑫ 喜怒哀《きどあい》**ラク**。 ❷

⑬ くねくね**マ**がった細い道。 ❸

⑭ **シラ**樺《かば》の林。 ❶

⑮ 草**ブカ**い田舎で育つ。 ❸

⑯ 親子のほほえましい光《こう》**ケイ**。 ❹

⑰ **ス**いも甘《あま》いも噛《か》み分ける。 ❺

⑱ 大《たい》**キ**晩成《ばんせい》。 ❹

⑲ **ブ**難《なん》な演技。 ❹

⑳ 論理《ろんり》の矛盾《むじゅん》を**アバ**く。 ❺

前頭葉機能検査 ……………………… 月 日

I カウンティングテスト

1から120までを声に出してできるだけ早く数えます。数え終わるまでにかかった時間を計りましょう。

秒

II 単語記憶テスト

まず、次のことばを、**2分間**で、できるだけたくさん覚えます。

さとう	けらい	せいり	ねんど	つがい	あさり
おうむ	まくら	いずみ	ゆうひ	ふろば	きねん
かがみ	りりく	たぬき	じじつ	はだか	ななめ
でんわ	ひなん	ごぜん	つぼみ	うどん	やさい
したて	くるま	ぼうし	とさか	みやげ	およぎ

覚えたことばを、裏《うら》のページの解答用紙にできるだけたくさん書きます。
2分間で、覚えたことばを、いくつ思い出すことができますか？

Ⅱ 覚えたことばを、**2分間**で［　　］に書きましょう。

単語記憶テスト解答欄

正答数　　語

Ⅲ 別冊15ページの「**ストループテスト**」も忘れずに行いましょう。

トレーニングを始める前の前頭葉機能チェック　□月□日

トレーニングを始める前に、現状の脳機能を、次の３つのテストで計測しておきましょう。

Ⅰ カウンティングテスト

１から120までを声に出してできるだけ早く数えます。数え終わるまでにかかった時間を計りましょう。

□秒

Ⅱ 単語記憶テスト

まず、次のことばを、**２分間**で、できるだけたくさん覚えます。

あした	せかい	けんか	りろん	のこり	おわり
はたき	こたえ	いちご	かきね	たばこ	わだい
からす	ようい	つきよ	さわぎ	へいき	うなぎ
やしき	えいが	どうぐ	きのう	しじみ	ほくろ
けいと	まぐろ	すいか	なふだ	おかし	みんな

覚えたことばを、次のページの解答用紙にできるだけたくさん書きます。

２分間で、覚えたことばを、いくつ思い出すことができますか？

Ⅱ　覚えたことばを、２分間で［　　］に書きましょう。

単語記憶テスト解答欄

正答数［　　］語

Ⅲ ストループテスト（文字の色を答える検査です）

検査は１回ですが、その前に**【練習】**を行いましょう。

下の**【練習】**の**文字の色**を声に出して、**できる限《かぎ》り早く**言っていきます。文字を読むのではないので、注意しましょう。まちがえたところは、**正しく言い直します。**

（例：あかの場合は「あお」、あかの場合は「くろ」、あかの場合は「あか」と言う。）

【練習】

くろ	あか	きいろ	くろ	あお

「あお、きいろ、あか、くろ、きいろ」と正しく言えましたか。

次に**本番**です。開始時刻を入れて、練習の時のように**文字の色**を読んでいきましょう。全部終わったら、終了時刻を入れ、かかった時間を出しましょう。

開始時刻 □ 分 □ 秒

きいろ	くろ	あか	くろ	あお
あか	きいろ	あお	あか	くろ
あか	あか	あお	くろ	きいろ
あか	くろ	きいろ	きいろ	あお
あか	あお	あか	きいろ	くろ
くろ	きいろ	あか	くろ	あお
あお	あお	きいろ	きいろ	あお
きいろ	あお	くろ	あか	あお
くろ	きいろ	あか	くろ	あお
あお	きいろ	あか	あお	くろ

終了時刻 □ 分 □ 秒　所要時間 □ 分 □ 秒

Ⅲ ストループテスト　第１週目

検査は１回ですが、その前に**【練習】**を行いましょう。

下の**【練習】**の**文字の色**を声に出して、**できる限《かぎ》り早く**言っていきます。文字を読むのではないので、注意しましょう。まちがえたところは、**正しく言い直します**。

（例：あかの場合は「あお」、あかの場合は「くろ」、あかの場合は「あか」と言う。）

【練習】

くろ	あか	きいろ	くろ	あお

「あお、きいろ、あか、くろ、きいろ」と正しく言えましたか。

次に**本番**です。開始時刻を入れて、練習の時のように**文字の色**を読んでいきましょう。全部終わったら、終了時刻を入れ、かかった時間を出しましょう。

開始時刻 □ 分 □ 秒

くろ	あか	くろ	きいろ	あお
きいろ	くろ	あお	きいろ	あか
あか	きいろ	あお	あか	くろ
きいろ	くろ	あか	くろ	あお
あお	あか	きいろ	あお	くろ
あか	あお	あか	くろ	きいろ
くろ	きいろ	あか	あお	くろ
あか	あか	くろ	あお	きいろ
あお	あお	あお	きいろ	きいろ
あお	あか	くろ	あお	きいろ

終了時刻 □ 分 □ 秒　所要時間 □ 分 □ 秒

Ⅲ ストループテスト　第２週目

検査は１回ですが、その前に**【練習】**を行いましょう。

下の**【練習】**の**文字の色**を声に出して、**できる限《かぎ》り早く**言っていきます。文字を読むのではないので、注意しましょう。まちがえたところは、**正しく言い直します**。

（例：あかの場合は「あお」、あかの場合は「くろ」、あかの場合は「あか」と言う。）

【練習】

くろ	あか	きいろ	くろ	あお

「あお、きいろ、あか、くろ、きいろ」と正しく言えましたか。

次に**本番**です。開始時刻を入れて、練習の時のように**文字の色**を読んでいきましょう。全部終わったら、終了時刻を入れ、かかった時間を出しましょう。

開始時刻 □ 分 □ 秒

あお	くろ	あお	あか	きいろ
きいろ	くろ	くろ	あか	あお
くろ	きいろ	あか	きいろ	あお
あか	あか	きいろ	くろ	あお
きいろ	あお	あお	あお	きいろ
あか	くろ	きいろ	くろ	あお
くろ	きいろ	あか	あお	あか
あお	くろ	くろ	きいろ	あか
あか	あか	くろ	きいろ	あお
あお	あか	あお	くろ	きいろ

終了時刻 □ 分 □ 秒　所要時間 □ 分 □ 秒

Ⅲ ストループテスト　第３週目

検査は１回ですが、その前に**【練習】**を行いましょう。

下の**【練習】**の**文字の色**を声に出して、**できる限《かぎ》り早く**言っていきます。文字を読むのではないので、注意しましょう。まちがえたところは、**正しく言い直します**。

（例：あかの場合は「あお」、あかの場合は「くろ」、あかの場合は「あか」と言う。）

【練習】

くろ	あか	きいろ	くろ	あお

「あお、きいろ、あか、くろ、きいろ」と正しく言えましたか。

次に**本番**です。開始時刻を入れて、練習の時のように**文字の色**を読んでいきましょう。全部終わったら、終了時刻を入れ、かかった時間を出しましょう。

開始時刻 □ 分 □ 秒

あお	あか	あお	くろ	きいろ
あか	あお	くろ	きいろ	あか
きいろ	くろ	あお	あか	あか
くろ	あか	くろ	あお	きいろ
あお	きいろ	あお	あお	きいろ
あお	くろ	あか	きいろ	あお
くろ	あか	あお	きいろ	くろ
くろ	あか	きいろ	あお	きいろ
きいろ	あお	あか	くろ	あか
あお	きいろ	あか	くろ	くろ

終了時刻 □ 分 □ 秒　所要時間 □ 分 □ 秒

Ⅲ ストループテスト　第４週目

検査は１回ですが、その前に**【練習】**を行いましょう。

下の**【練習】**の**文字の色**を声に出して、**できる限《かぎ》り早く**言っていきます。文字を読むのではないので、注意しましょう。まちがえたところは、**正しく言い直します**。

（例：あかの場合は「あお」、あかの場合は「くろ」、あかの場合は「あか」と言う。）

【練習】

くろ	あか	きいろ	くろ	あお

「あお、きいろ、あか、くろ、きいろ」と正しく言えましたか。

次に**本番**です。開始時刻を入れて、練習の時のように**文字の色**を読んでいきましょう。全部終わったら、終了時刻を入れ、かかった時間を出しましょう。

開始時刻 □ 分 □ 秒

あお	くろ	あか	きいろ	あお
くろ	あか	あお	きいろ	くろ
きいろ	あか	きいろ	くろ	あお
あお	きいろ	あお	あお	きいろ
あか	きいろ	くろ	くろ	あお
あお	くろ	きいろ	あお	あか
あか	あか	あお	くろ	きいろ
きいろ	あお	くろ	あか	あか
くろ	あお	あか	きいろ	あか
あか	くろ	くろ	きいろ	あお

終了時刻 □ 分 □ 秒　所要時間 □ 分 □ 秒

Ⅲ ストループテスト　第５週目

検査は１回ですが、その前に**【練習】**を行いましょう。

下の**【練習】**の**文字の色**を声に出して、**できる限《かぎ》り早く**言っていきます。文字を読むのではないので、注意しましょう。まちがえたところは、**正しく言い直します**。

（例：あかの場合は「あお」、あかの場合は「くろ」、あかの場合は「あか」と言う。）

【練習】

くろ	あか	きいろ	くろ	あお

「あお、きいろ、あか、くろ、きいろ」と正しく言えましたか。

次に**本番**です。開始時刻を入れて、練習の時のように**文字の色**を読んでいきましょう。全部終わったら、終了時刻を入れ、かかった時間を出しましょう。

開始時刻　□分　□秒

あお	くろ	あか	きいろ	くろ
きいろ	あお	くろ	きいろ	あか
くろ	きいろ	あお	あお	あか
きいろ	あお	くろ	あか	あお
きいろ	きいろ	あお	あお	くろ
あお	くろ	あか	あか	きいろ
あお	くろ	きいろ	くろ	あか
あか	あお	あか	きいろ	くろ
くろ	くろ	きいろ	あか	あお
あか	きいろ	あか	あお	くろ

終了時刻　□分　□秒　所要時間　□分　□秒

Ⅲ ストループテスト　第６週目

検査は１回ですが、その前に**【練習】**を行いましょう。

下の**【練習】**の**文字の色**を声に出して、**できる限《かぎ》り早く**言っていきます。文字を読むのではないので、注意しましょう。まちがえたところは、**正しく言い直します**。

（例：あかの場合は「あお」、あかの場合は「くろ」、あかの場合は「あか」と言う。）

【練習】

くろ	あか	きいろ	くろ	あお

「あお、きいろ、あか、くろ、きいろ」と正しく言えましたか。

次に**本番**です。開始時刻を入れて、練習の時のように**文字の色**を読んでいきましょう。全部終わったら、終了時刻を入れ、かかった時間を出しましょう。

開始時刻 □ 分 □ 秒

あか	きいろ	あお	くろ	あか
あお	あか	くろ	きいろ	あお
あか	あお	きいろ	あお	くろ
あお	きいろ	くろ	あか	あか
あか	あお	くろ	くろ	きいろ
くろ	あか	くろ	あお	きいろ
きいろ	あか	きいろ	あお	くろ
くろ	くろ	きいろ	あお	あか
あお	くろ	あか	きいろ	あか
きいろ	きいろ	あお	あお	くろ

終了時刻 □ 分 □ 秒　所要時間 □ 分 □ 秒

Ⅲ ストループテスト　第７週目

検査は１回ですが、その前に**【練習】**を行いましょう。

下の**【練習】**の**文字の色**を声に出して、**できる限《かぎ》り早く**言っていきます。文字を読むのではないので、注意しましょう。まちがえたところは、**正しく言い直します。**

（例：あかの場合は「あお」、あかの場合は「くろ」、あかの場合は「あか」と言う。）

【練習】

くろ	あか	きいろ	くろ	あお

「あお、きいろ、あか、くろ、きいろ」と正しく言えましたか。

次に**本番**です。開始時刻を入れて、練習の時のように**文字の色**を読んでいきましょう。全部終わったら、終了時刻を入れ、かかった時間を出しましょう。

開始時刻 □ 分 □ 秒

あか	くろ	くろ	きいろ	あお
あか	あお	あか	きいろ	くろ
きいろ	あか	あか	くろ	あお
きいろ	あお	くろ	あか	あお
あか	あお	あか	きいろ	くろ
くろ	きいろ	あか	くろ	あお
あお	あお	きいろ	きいろ	くろ
くろ	きいろ	あか	くろ	あお
あか	きいろ	あお	くろ	きいろ
あお	あか	きいろ	あお	くろ

終了時刻 □ 分 □ 秒　所要時間 □ 分 □ 秒

Ⅲ ストループテスト　第８週目

検査は１回ですが、その前に**【練習】**を行いましょう。

下の**【練習】**の**文字の色**を声に出して、**できる限《かぎ》り早く**言っていきます。文字を読むのではないので、注意しましょう。まちがえたところは、**正しく言い直します。**

（例：あかの場合は「あお」、あかの場合は「くろ」、あかの場合は「あか」と言う。）

【練習】

くろ	あか	きいろ	くろ	あお

「あお、きいろ、あか、くろ、きいろ」と正しく言えましたか。

次に**本番**です。開始時刻を入れて、練習の時のように**文字の色**を読んでいきましょう。全部終わったら、終了時刻を入れ、かかった時間を出しましょう。

開始時刻 □ 分 □ 秒

くろ	きいろ	あか	くろ	あお
きいろ	くろ	くろ	あお	あか
あか	あか	きいろ	くろ	あお
あお	くろ	きいろ	あお	あか
きいろ	くろ	あか	あお	あか
あか	くろ	くろ	きいろ	あお
きいろ	あお	あお	きいろ	くろ
あか	あお	くろ	あか	きいろ
くろ	きいろ	あお	きいろ	あか
あお	あお	あか	きいろ	くろ

終了時刻 □ 分 □ 秒　所要時間 □ 分 □ 秒

Ⅲ ストループテスト　第９週目

検査は１回ですが、その前に【練習】を行いましょう。

下の【練習】の**文字の色**を声に出して、**できる限《かぎ》り早く**言っていきます。文字を読むのではないので、注意しましょう。まちがえたところは、**正しく言い直します**。

（例：あかの場合は「あお」、あかの場合は「くろ」、あかの場合は「あか」と言う。）

【練習】

くろ	あか	きいろ	くろ	あお

「あお、きいろ、あか、くろ、きいろ」と正しく言えましたか。

次に**本番**です。開始時刻を入れて、練習の時のように**文字の色**を読んでいきましょう。全部終わったら、終了時刻を入れ、かかった時間を出しましょう。

開始時刻 □ 分 □ 秒

きいろ	あお	くろ	あか	あか
くろ	あお	きいろ	あか	あか
きいろ	きいろ	あお	あお	あお
あお	くろ	あか	あお	きいろ
きいろ	あお	くろ	あか	きいろ
くろ	あか	くろ	あお	きいろ
あか	あか	あお	きいろ	くろ
あか	きいろ	くろ	くろ	あお
あか	くろ	くろ	きいろ	あお
あお	くろ	あか	あお	きいろ

終了時刻 □ 分 □ 秒　所要時間 □ 分 □ 秒

Ⅲ ストループテスト　第10週目

検査は1回ですが、その前に**【練習】**を行いましょう。

下の**【練習】**の**文字の色**を声に出して、**できる限《かぎ》り早く**言っていきます。文字を読むのではないので、注意しましょう。まちがえたところは、**正しく言い直します**。

(例：あかの場合は「あお」、あかの場合は「くろ」、あかの場合は「あか」と言う。)

【練習】

くろ	あか	きいろ	くろ	あお

「あお、きいろ、あか、くろ、きいろ」と正しく言えましたか。

次に**本番**です。開始時刻を入れて、練習の時のように**文字の色**を読んでいきましょう。全部終わったら、終了時刻を入れ、かかった時間を出しましょう。

開始時刻 □ 分 □ 秒

あか	きいろ	くろ	あお	あか
あか	あか	きいろ	くろ	あお
あお	きいろ	あか	あお	くろ
くろ	くろ	あか	あお	きいろ
きいろ	あお	くろ	あか	きいろ
あお	きいろ	あか	あお	くろ
くろ	あお	きいろ	あか	あか
きいろ	あお	あお	きいろ	あお
くろ	くろ	あか	きいろ	あお
あか	くろ	くろ	きいろ	あお

終了時刻 □ 分 □ 秒　所要時間 □ 分 □ 秒

Ⅲ ストループテスト　第11週目

検査は１回ですが、その前に**【練習】**を行いましょう。

下の**【練習】**の**文字の色**を声に出して、**できる限《かぎ》り早く**言っていきます。文字を読むのではないので、注意しましょう。まちがえたところは、**正しく言い直します**。

（例：あかの場合は「あお」、あかの場合は「くろ」、あかの場合は「あか」と言う。）

【練習】

くろ	あか	きいろ	くろ	あお

「あお、きいろ、あか、くろ、きいろ」と正しく言えましたか。

次に**本番**です。開始時刻を入れて、練習の時のように**文字の色**を読んでいきましょう。全部終わったら、終了時刻を入れ、かかった時間を出しましょう。

開始時刻 □ 分 □ 秒

あか	あお	あか	きいろ	くろ
くろ	きいろ	あか	くろ	あお
あお	あお	きいろ	きいろ	くろ
きいろ	あお	くろ	あお	あか
くろ	きいろ	あか	くろ	あお
くろ	くろ	あか	きいろ	あお
あか	あか	きいろ	あお	くろ
あか	あか	くろ	きいろ	あお
あか	くろ	きいろ	きいろ	あお
あお	あか	きいろ	あお	くろ

終了時刻 □ 分 □ 秒　所要時間 □ 分 □ 秒

Ⅲ ストループテスト　第12週目

検査は１回ですが、その前に**【練習】**を行いましょう。

下の**【練習】**の**文字の色**を声に出して、**できる限《かぎ》り早く**言っていきます。文字を読むのではないので、注意しましょう。まちがえたところは、**正しく言い直します。**

（例：あかの場合は「あお」、あかの場合は「くろ」、あかの場合は「あか」と言う。）

【練習】

くろ	あか	きいろ	くろ	あお

「あお、きいろ、あか、くろ、きいろ」と正しく言えましたか。

次に**本番**です。開始時刻を入れて、練習の時のように**文字の色**を読んでいきましょう。全部終わったら、終了時刻を入れ、かかった時間を出しましょう。

開始時刻 □ 分 □ 秒

あか	あお	あか	きいろ	くろ
くろ	あか	くろ	きいろ	あお
くろ	あお	くろ	きいろ	あか
あお	きいろ	きいろ	あお	くろ
あか	あお	あか	きいろ	くろ
くろ	きいろ	あお	あか	あか
くろ	きいろ	あか	くろ	あお
あお	くろ	きいろ	あか	あお
あか	くろ	きいろ	きいろ	あお
あお	あお	あか	きいろ	くろ

終了時刻 □ 分 □ 秒　所要時間 □ 分 □ 秒

「漢字の書き取り」解答

〔小学校で学習する漢字を模範解答としています。また（　）で、常用漢字表に掲げられている漢字の別解も示しています。〕

第1日	①広	②店	③節	④画	⑤内	⑥早	⑦午	⑧安	⑨万	⑩会
	⑪空	⑫羊	⑬顔	⑭群	⑮汽	⑯池	⑰庭	⑱暑	⑲礼	⑳始
第2日	①一	②角	③農	④留（止）	⑤童	⑥改	⑦用	⑧自	⑨形	⑩囲
	⑪問	⑫行	⑬配	⑭遠	⑮持	⑯立	⑰新	⑱管	⑲屋	⑳木
第3日	①返	②後（遅）	③借	④温	⑤冷	⑥使	⑦熱	⑧球	⑨着	⑩指
	⑪解	⑫変	⑬受	⑭図	⑮係	⑯断	⑰丁	⑱速	⑲静（鎮）	⑳入
第4日	①進	②生	③教	④止	⑤復	⑥乗	⑦印	⑧義	⑨草	⑩覚
	⑪戦	⑫次	⑬送	⑭直	⑮飛	⑯念	⑰登	⑱整	⑲努	⑳油
第5日	①便	②名	③引	④交	⑤本	⑥別	⑦笛	⑧業	⑨定	⑩見
	⑪運	⑫計	⑬表	⑭読	⑮写	⑯説	⑰形	⑱有	⑲等	⑳然
第6日	①合	②動	③打	④熱	⑤小	⑥代	⑦取	⑧元	⑨間	⑩談
	⑪良	⑫話	⑬由	⑭起	⑮限	⑯昼	⑰火	⑱器	⑲便	⑳面
第7日	①焼	②罪	③石	④商	⑤混	⑥卒	⑦量	⑧固	⑨競	⑩終
	⑪議	⑫説	⑬返	⑭愛	⑮公	⑯悪	⑰役	⑱証	⑲部	⑳音
第8日	①工	②芽	③意	④包	⑤覚	⑥厚	⑦美	⑧季	⑨紀	⑩客
	⑪果	⑫宮	⑬和	⑭練	⑮敗	⑯浴	⑰象	⑱薬	⑲面	⑳例
第9日	①去	②漁	③深	④規	⑤低	⑥田	⑦軽	⑧化	⑨根	⑩詩
	⑪準	⑫治	⑬柱	⑭救	⑮当	⑯炭	⑰波	⑱重	⑲足	⑳調
第10日	①節	②守	③横	④雲	⑤絶	⑥待	⑦橋	⑧林	⑨態	⑩主
	⑪酒	⑫勝	⑬焼	⑭助	⑮照	⑯然	⑰臣	⑱省	⑲雑	⑳京
第11日	①開	②常	③示	④機	⑤心	⑥政	⑦実	⑧口	⑨来	⑩状
	⑪唱	⑫族	⑬養	⑭長	⑮気	⑯働	⑰共	⑱飲	⑲設	⑳世
第12日	①協	②告	③械	④所	⑤究	⑥授	⑦静	⑧採	⑨風	⑩格
	⑪神	⑫解	⑬精	⑭体	⑮菜	⑯勢	⑰官	⑱追	⑲料	⑳相
第13日	①衛	②約	③志	④路	⑤未	⑥台	⑦預	⑧容	⑨求	⑩的
	⑪損	⑫応	⑬天	⑭要	⑮防	⑯鳴	⑰毛	⑱野	⑲八	⑳福
第14日	①右	②身	③制	④集	⑤対	⑥修	⑦適	⑧員	⑨保	⑩不
	⑪分	⑫明	⑬成	⑭祭	⑮案	⑯資	⑰門	⑱達	⑲病	⑳決
第15日	①暗	②快	③引	④耕	⑤額	⑥往	⑦白	⑧記	⑨厚	⑩切
	⑪願	⑫語	⑬朝	⑭三	⑮結	⑯鼻	⑰葉	⑱費	⑲券	⑳安
第16日	①医	②館	③比（較・競）	④半	⑤破	⑥思	⑦好	⑧型	⑨講	⑩輸
	⑪君	⑫友	⑬四	⑭黒	⑮築	⑯敗	⑰月	⑱戸	⑲笛	⑳札
第17日	①無	②絵	③可	④帯	⑤武	⑥箱	⑦総	⑧育	⑨校	⑩争
	⑪山	⑫流	⑬巣	⑭独	⑮秋	⑯炭	⑰筆	⑱停	⑲鳥	⑳貸
第18日	①港	②技	③楽	④投	⑤衣	⑥丸	⑦貿	⑧康	⑨算	⑩九
	⑪境	⑫緑	⑬毎	⑭舌	⑮側	⑯板	⑰氏	⑱布	⑲腸	⑳区
第19日	①左	②圧	③席	④同	⑤階	⑥落	⑦混（交）	⑧今	⑨米	⑩勇
	⑪転	⑫夢	⑬位	⑭湖	⑮暴	⑯隊	⑰金	⑱才	⑲章	⑳粉
第20日	①功	②石	③像	④差	⑤駅	⑥羽	⑦竹	⑧辞	⑨銅	⑩丁
	⑪件	⑫旅	⑬束	⑭建	⑮柱	⑯非	⑰度	⑱価	⑲言	⑳鏡

第21日	①益	②県	③地	④麦	⑤綿	⑥労	⑦目	⑧放(離)	⑨毒	⑩森
	⑪調	⑫訓	⑬任	⑭遊	⑮回	⑯信	⑰千	⑱岸	⑲子	⑳句
第22日	①園	②底	③様	④編	⑤課	⑥秒	⑦以	⑧敵	⑨車	⑩国
	⑪央	⑫減	⑬皿	⑭完	⑮積	⑯兄	⑰少	⑱大	⑲号	⑳欠
第23日	①永	②産	③足	④荷	⑤陸	⑥弓	⑦近	⑧罪	⑨短	⑩春
	⑪略	⑫負	⑬急	⑭刷	⑮置	⑯点	⑰禁	⑱貝	⑲残	⑳星
第24日	①赤	②酸	③団	④前	⑤順	⑥孫	⑦列	⑧古	⑨寒	⑩英
	⑪由	⑫六	⑬歩	⑭燃	⑮観	⑯必	⑰予	⑱売	⑲謝	⑳居
第25日	①泳	②現	③際	④真	⑤電	⑥力	⑦服	⑧民	⑨室	⑩単
	⑪百	⑫退	⑬司	⑭知	⑮勉	⑯博	⑰銀	⑱弱	⑲務	⑳給
第26日	①全	②群	③選	④親	⑤糸	⑥増	⑦坂	⑧番	⑨歴	⑩氷
	⑪因	⑫細	⑬士	⑭鉄	⑮里	⑯夫	⑰祖	⑱祝	⑲賛	⑳土
第27日	①飲	②災	③活	④程	⑤組	⑥失	⑦歯	⑧答	⑨治	⑩年
	⑪命	⑫望	⑬何	⑭許	⑮塩	⑯果	⑰豆	⑱耳	⑲想	⑳副
第28日	①庫	②仮	③寺	④置	⑤船	⑥在	⑦堂	⑧整	⑨夜	⑩能
	⑪査	⑫加	⑬仕	⑭束	⑮波	⑯印	⑰夏	⑱迷	⑲典	⑳期
第29日	①栄	②曲	③学	④伝	⑤移	⑥漢	⑦道	⑧潔	⑨頭	⑩日
	⑪岩	⑫研	⑬浅	⑭則	⑮利	⑯味	⑰弁	⑱賞	⑲陽	⑳属
第30日	①西	②恩	③泣	④航	⑤水	⑥界	⑦付	⑧幸	⑨帳	⑩初
	⑪幹	⑫喜	⑬苦	⑭数	⑮他	⑯芸	⑰領	⑱光	⑲逆	⑳向
第31日	①緑	②肉	③墓	④父	⑤委	⑥候	⑦感	⑧液	⑨会	⑩女
	⑪提	⑫昔	⑬児	⑭重	⑮均	⑯億	⑰黄	⑱評	⑲飯	⑳習
第32日	①参	②徳	③晴	④胃	⑤谷	⑥希	⑦貧	⑧余	⑨出	⑩死
	⑪牛	⑫具	⑬複	⑭梅	⑮由	⑯走	⑰住	⑱税	⑲皮	⑳折
第33日	①科	②倍	③辺	④類	⑤職	⑥物	⑦営	⑧犬	⑨矢	⑩情
	⑪都	⑫法	⑬血	⑭海	⑮招	⑯散	⑰害	⑱人	⑲満	⑳限
第34日	①息	②昨	③師	④町	⑤馬	⑥故	⑦鏡	⑧速	⑨考	⑩最
	⑪易	⑫題	⑬反	⑭術	⑮票	⑯昭	⑰備	⑱験	⑲家	⑳続
第35日	①営	②間	③式	④貯	⑤二	⑥報	⑦各	⑧魚	⑨拾	⑩得
	⑪洋	⑫版	⑬週	⑭桜	⑮軍	⑯張	⑰紙	⑱貨	⑲植	⑳旧
第36日	①消	②述	③種	④局	⑤品	⑥太(泰)	⑦識	⑧標	⑨統	⑩通
	⑪宿	⑫演	⑬級	⑭松	⑮率	⑯判	⑰注	⑱書	⑲極	⑳妻
第37日	①街	②老	③刀	④再	⑤殺	⑥悲	⑦河	⑧字	⑨第	⑩連
	⑪冬	⑫鉱	⑬州	⑭清	⑮眼	⑯府	⑰買	⑱導	⑲門	⑳舎
第38日	①輪	②南	③兵	④犯	⑤申	⑥景	⑦基	⑧個	⑨社	⑩青
	⑪雪	⑫飼	⑬旗	⑭首	⑮肥	⑯定	⑰兆	⑱銭	⑲脈	⑳豊
第39日	①確	②令	③線	④承	⑤径	⑥刊	⑦曜	⑧接	⑨挙	⑩史
	⑪構	⑫多	⑬川	⑭牧	⑮経	⑯北	⑰試	⑱十	⑲婦	⑳救
第40日	①正	②賀	③慣	④姉	⑤久	⑥察	⑦険	⑧市	⑨寄	⑩時
	⑪場	⑫素	⑬財	⑭雑	⑮笑	⑯過	⑰村	⑱衛	⑲特(得)	⑳茶

第41日	①支	②当	③似	④立	⑤化	⑥浴	⑦条	⑧直	⑨製	⑩満
	⑪造	⑫通	⑬男	⑭頭	⑮程	⑯徒	⑰島	⑱明	⑲栄	⑳音
第42日	①織	②家	③枝	④救	⑤等	⑥赤	⑦測	⑧強	⑨的	⑩定
	⑪性	⑫足	⑬養	⑭序	⑮自	⑯和	⑰節	⑱会	⑲責	⑳仲
第43日	①解	②質	③便	④転	⑤負	⑥辞	⑦後	⑧移	⑨間	⑩治
	⑪重	⑫果	⑬改	⑭角	⑮顔	⑯逆	⑰設	⑱路	⑲刷	⑳競
第44日	①快	②練	③歩	④参	⑤生	⑥易	⑦告	⑧息	⑨相	⑩構
	⑪童	⑫苦	⑬仕	⑭空	⑮回	⑯巣	⑰連	⑱公	⑲細	⑳情
第45日	①額	②健	③野	④放	⑤半	⑥編	⑦問	⑧冷	⑨久	⑩八
	⑪周	⑫試	⑬潔	⑭結	⑮声	⑯全	⑰比	⑱商	⑲固	⑳眼
第46日	①慣	②器	③登	④率	⑤夕	⑥極	⑦写	⑧基	⑨欠	⑩色
	⑪配	⑫群	⑬常	⑭下	⑮望	⑯物	⑰経	⑱用	⑲借	⑳貸
第47日	①険	②悪	③引	④災	⑤衣	⑥子	⑦志	⑧象	⑨暗	⑩承
	⑪断	⑫度	⑬生	⑭園	⑮報	⑯発	⑰囲	⑱保	⑲育	⑳俵
第48日	①札	②束	③燃	④泳	⑤白	⑥導	⑦行	⑧退	⑨続	⑩世
	⑪争	⑫招	⑬研	⑭作	⑮戦(闘)	⑯里	⑰勢	⑱守	⑲謝	⑳求
第49日	①支	②最	③確	④囲	⑤下	⑥去	⑦好	⑧耕	⑨君	⑩茶
	⑪有	⑫殺	⑬仮	⑭過	⑮羽	⑯始	⑰利	⑱上	⑲民	⑳居
第50日	①位	②境	③減	④小	⑤印	⑥祭	⑦授	⑧塩	⑨相	⑩修
	⑪指	⑫管	⑬性	⑭間	⑮板	⑯関	⑰車	⑱工	⑲精	⑳菜
第51日	①建	②三	③児	④宿	⑤応	⑥雲	⑦願	⑧暗	⑨逆	⑩過
	⑪試	⑫交	⑬開	⑭要	⑮戸	⑯小	⑰暴	⑱例	⑲悪	⑳回
第52日	①態	②末	③成	④温	⑤豊	⑥体	⑦帯	⑧音	⑨制	⑩使
	⑪任	⑫側	⑬代	⑭損	⑮正	⑯星	⑰取	⑱精	⑲兵	⑳光
第53日	①青	②紀	③常	④強	⑤軽	⑥神	⑦固	⑧業	⑨政	⑩清
	⑪連	⑫止	⑬張	⑭生	⑮無	⑯係	⑰余	⑱万	⑲発	⑳共
第54日	①終	②周	③程	④円(丸)	⑤豆	⑥切	⑦伝	⑧面	⑨付(附)	⑩故
	⑪素	⑫手	⑬便	⑭丸	⑮集	⑯功	⑰預	⑱鳥	⑲流	⑳極
第55日	①天	②氷	③眼	④候	⑤油	⑥布	⑦飯	⑧冷	⑨拾	⑩開
	⑪反(段)	⑫練	⑬宮	⑭形	⑮千	⑯罪	⑰飛	⑱重	⑲幹	⑳関
第56日	①対	②言	③団	④競	⑤円	⑥初	⑦定	⑧旗	⑨質	⑩助
	⑪量	⑫軽	⑬容	⑭外	⑮金	⑯度	⑰略	⑱祝	⑲行	⑳務
第57日	①年	②増	③選	④目	⑤化	⑥覚	⑦病	⑧位	⑨太	⑩平
	⑪志	⑫散	⑬弱	⑭和	⑮勇	⑯測	⑰底	⑱受	⑲得	⑳易
第58日	①留	②服	③王	④卒	⑤路	⑥習	⑦加	⑧風	⑨再	⑩炭
	⑪舌	⑫結	⑬心	⑭産	⑮真	⑯当	⑰老	⑱役	⑲法	⑳興
第59日	①両	②不	③領	④遠	⑤意	⑥世	⑦木	⑧衣	⑨寄	⑩馬
	⑪改	⑫雨	⑬波	⑭結	⑮弁	⑯羊	⑰泣	⑱在	⑲首	⑳必
第60日	①都	②思	③非	④英	⑤金	⑥相	⑦流	⑧直	⑨肥	⑩栄
	⑪漁	⑫楽	⑬曲	⑭白	⑮深	⑯景	⑰酸	⑱器	⑲無	⑳暴

【編集付記】

底本には以下の「底本リスト」の本を用い、次の要領で表記替えを行いました。

大人の音読ドリルの文字表記について

音読部分の文字表記に関しては、極力原作の味わいを損なわないように配慮しながら、読者にとって読みやすくなるよう、次の要領で表記替えを行いました。

① 旧かなづかいを、現代かなづかいに変更しています。
② 常用漢字表に定められていない、漢字と音訓も使用しています。
③ 原則として、ひらがなを漢字に、または漢字をひらがなに変更することは行いません。
④ 送りがなおよびふりがなに関しては、次の基準を用いています。
・送りがなは底本通りとし、その過不足はふりがなで処理しています。
例 生れる→生《うま》れる
・漢字にはすべてふりがなを付けています。

本文中に差別に関わる不適当な表現がありますが、原作の独自性・文化性を考慮してそのままとしました。

【底本リスト】

第1日 坊っちゃん 夏目漱石…『新潮文庫 坊っちゃん』（新潮社）
第2日 走れメロス 太宰 治…『昭和文学全集5』（小学館）
第3日 銀河鉄道の夜 宮沢賢治…『新潮文庫 銀河鉄道の夜』（新潮社）
第4日 蜘蛛の糸 芥川龍之介…『新潮文庫 蜘蛛の糸・杜子春』（新潮社）
第5日 高瀬舟 森 鷗外…『角川文庫 山椒大夫』（角川書店）
第6日 夜明け前 島崎藤村…『岩波文庫 夜明け前 第一部上』（岩波書店）
第7日 一房の葡萄 有島武郎…『角川文庫 一房の葡萄』（角川書店）
第8日 ごん狐 新美南吉…『岩波文庫 新美南吉童話集』（岩波書店）
第9日 吾輩は猫である 夏目漱石…『岩波文庫 吾輩は猫である』（岩波書店）
第10日 女生徒 太宰 治…『岩波文庫 富嶽百景・走れメロス』（岩波書店）
第11日 注文の多い料理店 宮沢賢治…『新潮文庫 風の又三郎』（新潮社）
第12日 トロッコ 芥川龍之介…『現代文学大系 芥川龍之介集25』（筑摩書房）
第13日 山椒大夫 森 鷗外…『角川文庫 山椒大夫』（角川書店）
第14日 千曲川のスケッチ 島崎藤村…『岩波文庫 千曲川のスケッチ』（岩波書店）
第15日 小さき者へ 有島武郎…『新潮文庫 小さき者へ・生れ出づる悩み』（新潮社）
第16日 手袋を買いに 新美南吉…『岩波文庫 新美南吉童話集』（岩波書店）
第17日 草枕 夏目漱石…『角川文庫 草枕・二百十日』（角川書店）
第18日 富岳百景 太宰 治…『昭和文学全集5』（小学館）
第19日 風の又三郎 宮沢賢治…『新潮文庫 風の又三郎』（新潮社）
第20日 鼻 芥川龍之介…『新潮文庫 羅生門・鼻』（新潮社）
第21日 雁 森 鷗外…『岩波文庫 雁』（岩波書店）
第22日 桜の実の熟する時 島崎藤村…『岩波文庫 桜の実の熟する時』（岩波書店）
第23日 生まれ出づる悩み 有島武郎…『角川文庫 生まれ出づる悩み』（角川書店）
第24日 檸檬 梶井基次郎…『新潮文庫 檸檬』（新潮社）
第25日 日輪 横光利一…『岩波文庫 日輪・春は馬車に乗って』（岩波書店）
第26日 鸚鵡の思い出 牧野信一…『ちくま文庫 牧野信一全集』（筑摩書房）
第27日 野菊の墓 伊藤左千夫…『新潮文庫 野菊の墓』（新潮社）
第28日 うず潮 林 芙美子…『新潮文庫 うず潮』（新潮社）
第29日 家霊 岡本かの子…『昭和文学全集5』（小学館）
第30日 恩讐の彼方に 菊池 寛…『岩波文庫 恩讐の彼方に・忠直卿行状記』（岩波書店）
第31日 三四郎 夏目漱石…『角川文庫 三四郎』（角川書店）
第32日 津軽 太宰 治…『昭和文学全集5』（小学館）
第33日 よだかの星 宮沢賢治…『新潮文庫 銀河鉄道の夜』（新潮社）
第34日 杜子春 芥川龍之介…『現代文学大系 芥川龍之介集25』（筑摩書房）
第35日 ヰタ・セクスアリス 森 鷗外…『新潮文庫 ヰタ・セクスアリス』（新潮社）
第36日 嵐 島崎藤村…『現代日本文学全集8 島崎藤村全集』（筑摩書房）
第37日 火事とポチ 有島武郎…『角川文庫 一房の葡萄』（角川書店）
第38日 桜の樹の下には 梶井基次郎…『新潮文庫 檸檬』（新潮社）
第39日 旅愁 横光利一…『昭和文学全集5』（小学館）
第40日 高野聖 泉 鏡花…『岩波文庫 高野聖・眉かくしの霊』（岩波書店）
第41日 源氏物語 与謝野晶子…『角川文庫 源氏物語』（角川書店）
第42日 武蔵野 国木田独歩…『岩波文庫 武蔵野』（岩波書店）
第43日 夏の花 原 民喜…『日本の原爆文学1 原民喜』（ほるぷ出版）
第44日 平凡 二葉亭四迷…『講談社文芸文庫 平凡』（講談社）
第45日 いのちの初夜 北条民雄…『角川文庫 いのちの初夜』（角川書店）
第46日 土 長塚 節…『新潮社文庫 土』（新潮社）
第47日 赤蛙 島木健作…『現代日本文學大系70』（筑摩書房）
第48日 蟹工船 小林多喜二…『岩波文庫 蟹工船 一九二八・三・十五』（岩波書店）
第49日 こころ 夏目漱石…『新潮文庫 こころ』（新潮社）
第50日 人間失格 太宰 治…『昭和文学全集5』（小学館）
第51日 グスコーブドリの伝記 宮沢賢治…『新潮文庫 銀河鉄道の夜』（新潮社）
第52日 ピアノ 芥川龍之介…『芥川龍之介全集8』（角川書店）
第53日 最後の一句 森 鷗外…『角川文庫 山椒大夫』（角川書店）
第54日 破戒 島崎藤村…『岩波文庫 破戒』（岩波書店）
第55日 蒼穹 梶井基次郎…『新潮文庫 檸檬』（新潮社）
第56日 罌粟の中 横光利一…『定本横光利一全集11巻』（河出書房新社）
第57日 オリンポスの果実 田中英光…『新潮文庫 オリンポスの果実』（新潮社）
第58日 虎狩 中島 敦…『ちくま文庫 中島敦全集』（筑摩書房）
第59日 海に生くる人々 葉山嘉樹…『岩波文庫 海に生くる人々』（岩波書店）
第60日 田舎教師 田山花袋…『岩波文庫 田舎教師』（岩波書店）

脳を活性化する学習療法

――― 認知症の維持・改善、そして予防のために

「脳を鍛える大人のドリル」シリーズは、私たちが行ってきた脳機能イメージングの研究の成果を元に、健常者の方々に、脳機能の低下予防のための生活習慣として継続してもらおうと作ったものです。本書で行った学習を継続し、健康な脳の維持《いじ》につとめましょう。脳機能イメージング研究からは認知症《にんちしょう》の改善・進行抑制と予防に有効な「学習療法《がくしゅうりょうほう》」が生まれました。その歩みを簡単にご紹介します。

1 学習療法とは

学習療法は、「音読と計算を中心とする教材を用いた学習を、学習者と支援者がコミュニケーションをとりながら行うことにより、学習者の認知機能やコミュニケーション機能、身辺自立機能などの前頭前野機能の（維持・）改善をはかるものである」と定義しています。1日15分程度の、「音読を中心とした言葉の学習」と「簡単な計算を中心とした数の学習」を毎日行うことにより、認知症をはじめさまざまな高次脳機能障害を持つ人たちの脳の働きを改善させようとする試みで、独立行政法人科学技術振興機構の社会技術研究推進事業の一環として研究・開発されました。

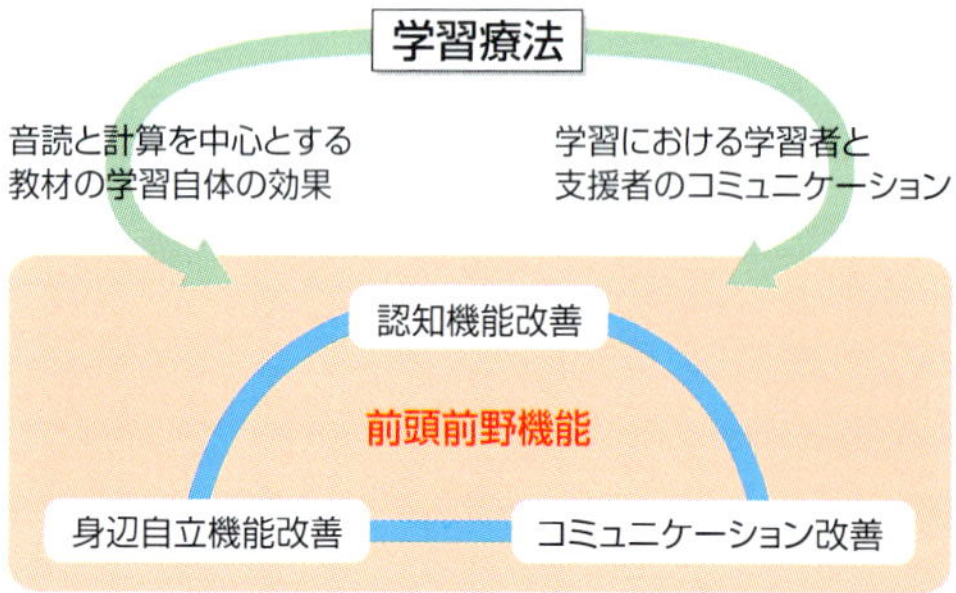

2 これまでの成果

私たちは、学習療法を用いた認知症高齢者介《かい》護《ご》研究を、平成13年秋より福岡県大川市の社会福祉法人道海永寿会の施設で、平成15年春からは宮城県仙台市の医療法人松田会の施設で行いました。学習療法により、多くの認知症高齢者の人たちの、脳機能改善に成功してきました。食事・着替え・トイレなどの身辺自立が可能となる、笑顔が増えて家族や介護スタッフとたくさんコミュニケーションが可能となるなど、さまざまな変化が生じました。現在、全国の多くの高齢者介護施設で導入されるとともに、自治体等で認知症予防のための教室も開かれています。また、2011年からアメリカで実証研究も行われ、著しい効果が確認されました。今アメリカの各地にも広がりはじめています。

3 学習療法についてのお問い合わせ

学習療法についてのお問い合わせは

公文教育研究会　学習療法センター

03-6836-0050

（受付時間月～金9：30～17：30　祝日除く）

学習療法センター　サイトアドレス

https://www.kumon-lt.co.jp/

このドリルについてのお問い合わせは

くもん出版お客さま係　フリーダイヤル0120-373-415

（受付時間月～金9：30～17：30　祝日除く）